W9-AZL-958

红鹦鹉世界儿童经典文学名著

西 游 记
Xiyouji

[明] 吴承恩 著　老桥 编写

凤凰出版传媒集团
江苏文艺出版社
JIANGSU LITERATURE AND ART
PUBLISHING HOUSE

图书在版编目(CIP)数据

西游记 / （明）吴承恩著；老桥编写. —南京：江苏文艺出版
社,2010.8
（红鹦鹉世界儿童经典文学名著）
ISBN 978-7-5399-3921-6

Ⅰ.①西…　Ⅱ.①吴…　②老…　Ⅲ.①章回小说—中国—
明代—缩写本　Ⅳ.①I242.4

中国版本图书馆CIP数据核字(2010)第 157492 号

书　　名	红鹦鹉世界儿童经典文学名著·西游记
著　　者	（明）吴承恩著；老桥编写
责任编辑	周远政
责任校对	闻　艺
责任监制	卞宁坚　江伟明
出版发行	凤凰出版传媒集团
	江苏文艺出版社　http://www.jswenyi.com
集团网址	凤凰出版传媒网　http://www.ppm.cn
照　　排	红鹦鹉文化传媒有限公司
印　　刷	武汉市佳汇印务有限公司
经　　销	江苏省新华发行集团有限公司
开　　本	718×1000 毫米　1/16
字　　数	130 千
印　　张	10
版　　次	2010 年 8 月第 1 版，2010 年 8 月第 1 次印刷
标准书号	ISBN 978-7-5399-3921-6
定　　价	19.80 元

（江苏文艺版图书凡印刷、装订错误可随时向承印厂调换）

前 言

　　《西游记》是中国明代小说家吴承恩创作的一部杰出的中国古典神魔小说，是我国古典文学名著中最辉煌的神话作品、中国四大名著之一，也是世界文学宝库中优秀的少儿读物之一。

　　《西游记》主要描写的是孙悟空保护唐僧西天取经，历经九九八十一难的故事。作者细腻而深刻地塑造了四个极其经典的形象：富有反叛精神且嫉恶如仇的神猴孙悟空，好吃懒做但憨态可掬的猪八戒，任劳任怨、忠心耿耿的沙和尚，慈悲宽厚而软弱迂腐的师父唐僧……

　　《西游记》自问世以来，在中国及世界各地广为流传，久盛不衰。其中，大闹天宫、三打白骨精、三调芭蕉扇等故事更是妇孺皆知，耳熟能详。

　　希望这本经典名著能够成为孩子们的阅读精品，丰富孩子们的精神世界，提高孩子们的文化修养。

目录

唐僧

唐僧是如来佛的二弟子金蝉子转世，为人温和宽厚，凡事都以慈悲为怀。奉唐太宗之命，去西天取经，在历经千辛万险后，终于取到了真经。

孙悟空

孙悟空是从石头缝里蹦出来的石猴，机智勇敢，嫉恶如仇。他大闹天宫后，被如来压在五行山下，受观音指点，保护唐僧到西天取经。

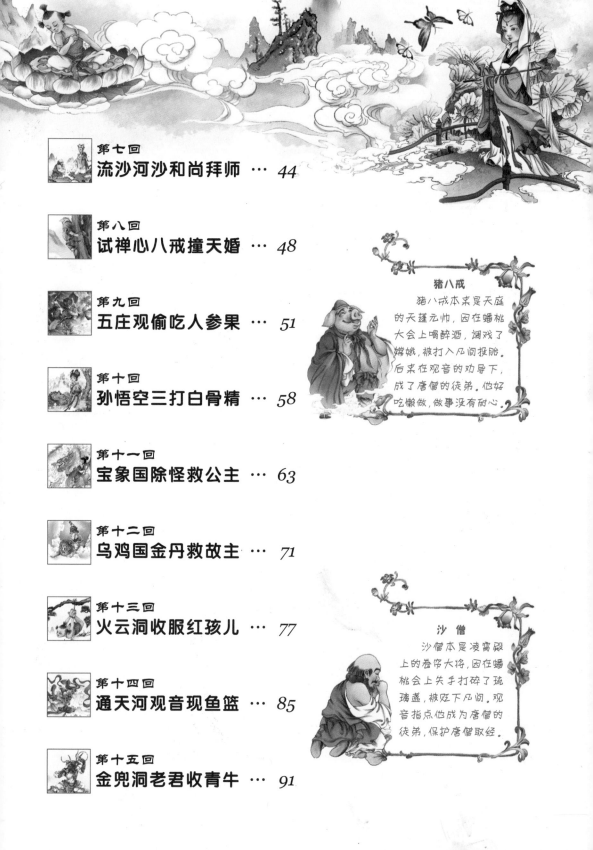

猪八戒

猪八戒本来是天庭的天蓬元帅，因在蟠桃大会上喝醉酒，调戏了嫦娥，被打入凡间投胎。后来在观音的劝导下，成了唐僧的徒弟。他好吃懒做，做事没有耐心。

沙僧

沙僧本是凌霄殿上的卷帘大将，因在蟠桃会上失手打碎了琉璃盏，被贬下凡间。观音指点他成为唐僧的徒弟，保护唐僧取经。

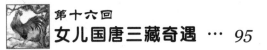

红孩儿

红孩儿是牛魔王的儿子，生性调皮，机智聪明。因为一心想吃唐僧肉，就和悟空斗法，他的三昧真火让悟空吃了不少苦头。最后被观音收服，做了善财童子。

白骨精

白骨精是白虎岭的一个妖怪，因为想吃唐僧肉，变成村姑、老太婆、老公公来迷惑唐僧师徒，被悟空的火眼金睛识破，死于金箍棒下。

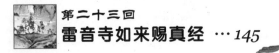

第一回 惊天地美猴王出世

传说在很久很久以前，在东胜神洲傲来国，有一座花果山，山上有一块仙石。一天，仙石崩裂，从石头中滚出一个卵，这个卵一见风就变成一个石猴，猴眼射出一道道金光。

那猴能走、能跑、喝泉水、吃野果。整天和山中的动物一起玩乐，过得十分快活。一天，猴子们在山前看见一股瀑布，像是从天而降一样。猴子们觉得惊奇，说："哪个敢钻进瀑布，又不伤身体，就拜他为王。"

那石猴闭眼纵身跳入瀑布，睁开眼，四处打量，发现自己站在一座桥上。石猴走过桥，发现这真是个好地方，石椅、石床、石盆、石碗，样样都有，正当中有一块石碑，上面刻着"花果山福地，水帘洞洞天"。石猴高兴得不得了，"嗖"的一下跳出了洞。

石猴笑嘻嘻地对大家说："里面没有水，是一个安身的好地方。"猴子们一听，一个个高兴得又蹦又跳。

遵照诺言，猴子们拜石猴为王。石猴从此登上王位，将石字省去，自称"美猴王"。

美猴王每天带着猴子们游山玩水，很快三、五百年过去了。一天美猴王想到自己将来难免一死，竟悲伤得掉下眼泪来，这时猴群中有个通背猿猴说："大王想要长生不老，只有去学佛、学仙、学神之术。"

美猴王决定走遍天涯海角，也要找到神仙，学那长生不老的本领。第二天，美猴王告别了群猴们，撑着木筏奔向汪洋大海。

2

连日的东南风，将他送到西北岸边。他下了木筏，登上了岸，看见岸边有许多人都在干活，有的捉鱼，有的打天上的大雁，有的挖蛤蜊，有的淘盐……人们看到他吓得四处逃命。

一天，他循着樵夫的歌声来到灵台方寸山，据说离这儿七八里路，有个斜月三星洞，洞中住着一个被称为菩提祖师的神仙。

美猴王刚到灵台方寸山斜月三星洞前，洞门就打开了，走出来一个仙童。

美猴王赶快走上前，深深地鞠了一个躬，说明来意。那仙童说："我师父刚才正要讲道，忽然叫我出来开门，说外面来了个拜师学艺的，原来就是你呀！跟我来吧！"美猴王赶紧整整衣服，恭恭敬敬地跟着仙童进到洞内，来到祖师讲道的法台跟前。祖师很高兴，见他没有姓名，便说："你就叫孙悟空吧！"

从此悟空跟着师兄学习生活常识，讲经论道，写字烧香，闲时做些扫地挑水的活。

很快七年过去了。一天，祖师讲道结束后，问悟空想学什么本领。孙悟空不愿学那些求神拜佛、打坐修行的，只想学能长生不老的法术。

祖师生气地从高台上跳了下来，手里拿着戒尺指着孙悟空说："你这猴子，这也不学，那也不学，你要学些什么？"说完走过去在悟空头上打了三下，倒背着手走到里间，关上了门。

师兄们看到师父生气了，都很害怕，纷纷责怪

sūn wù kōng
孙悟空。

sūn wù kōng jì bú pà   yě bù shēng qì   xīn li fǎn ér shí fēn
孙悟空既不怕，也不生气，心里反而十分

gāo xìng   dàng tiān wǎn shang   wù kōng jiǎ zhuāng shuì zháo le   děng dào sān gēng
高兴。当天晚上，悟空假装睡着了，等到三更，

rào dào hòu mén kǒu   kàn jiàn mén bàn kāi bàn bì   jiù zǒu le jìn qù
绕到后门口，看见门半开半闭，就走了进去。

zhǐ jiàn zǔ shī miàn cháo lǐ shuì zhe   jiù guì zài chuáng qián shuō   shī fu
只见祖师面朝里睡着，就跪在床前说："师父，

wǒ guì zài zhè lǐ děng zhe nín ne   zǔ shī tīng jiàn shēng yīn jiù qǐ lái
我跪在这里等着您呢！"祖师听见声音就起来

le   pán zhe tuǐ zuò hǎo hòu   yán lì de wèn sūn wù kōng lái zuò shén me
了，盘着腿坐好后，严厉地问孙悟空来做什么。

wù kōng shuō   shī fu bái tiān
悟空说："师父白天

dāng zhe dà jiā de miàn bú shì dā ying
当着大家的面不是答应

wǒ   ràng wǒ sān gēng shí cóng hòu mén
我，让我三更时从后门

jìn lái   jiāo wǒ
进来，教我

cháng shēng bù lǎo de
长生不老的

fǎ shù ma
法术吗？"

pú tí zǔ
菩提祖

shī tīng dào zhè huà
师听到这话

xīn li hěn gāo xìng
心里很高兴，

心想："这个猴子果然是天地生成的，不然，怎么能猜透我的暗谜。"于是就教给他长生不老的法术……

很快三年又过去了，祖师又教了孙悟空七十二般变化的法术和驾筋斗云的本领。学会了驾筋斗云，一个筋斗便能翻出十万八千里路程。

一天，院子里传来大家的吵闹声，菩提祖师听到后，拄着拐杖出来看。原来是孙悟空应大家的要求变成了一棵大树，师兄们都在鼓掌称赞他。

菩提祖师看见孙悟空刚刚学会了一些本领就卖弄起来，十分生气。祖师把悟空狠狠地教训了一顿，并且把孙悟空赶走，临走前还要他立下誓言：任何时候都不能说自己是菩提祖师的徒弟。

第二回

闹龙宫刁石猴借宝

孙悟空只好拜别了菩提祖师，告别各位师兄，然后念了口诀，驾着筋斗云，不到一个时辰，就回到了花果山水帘洞。

他看到花果山上一片荒凉破败的景象，很是凄惨。

原来孙悟空走了以后，有一个混世魔王独占了水帘洞，并且抢走了许多猴子猴孙。孙悟空听到这些以后，气得咬牙跺脚。他问清了混世魔王的住处，便驾着筋斗云，去找混世魔王报仇了。

不一会儿，孙悟空就来到混世魔王的水帘洞前，他赤手空拳，夺过了混世魔王的大刀，把他劈成了两半。然后，拔下一把毫毛咬碎喷了出去，毫毛变成许多小猴子，直杀进洞里，把所有的妖精全杀死了。悟空又救出被抢走的小猴子。

为了武装花果山的小猴子们，孙悟空又驾云来到傲来国，把兵器库抢劫一空。

从此，花果山水帘洞的

名声远扬，所有的妖怪头子，即七十二洞的洞主都来拜见孙悟空。可是，悟空却有一件事不顺心，他嫌自己的那口大刀太轻，不好用。通背老猿猴告诉悟空，水帘洞桥下，可直通东海龙宫，可以去找龙王要一件得心应手的兵器。

悟空立刻来到东海龙宫，老龙王敖广叫虾兵们抬出一杆三千六百斤重的九股叉，悟空接过来玩了一阵，嫌它太轻。龙王又命令蟹将们抬出一柄七千二百斤重的方天画戟，悟空一见，仍然嫌它太轻。

龙王说："再也没有比这更重的兵器了。"悟空不信，和龙王吵了起来。这时龙婆对龙王说："大禹治水时，测定海水深浅的神针铁最近总是放光，就把这给他，管他能不能用，打发他走算了。"龙王听后告诉悟空："这宝物太重了，你自己去取吧！"

孙悟空跟龙王来到海底，龙王用手一指说："放光的就是。"悟空见神针铁金光四射，就走过去用手一摸，原来是根铁柱子，斗一样粗，两丈多长。孙悟空使劲用手搬了搬说："太长太长了，要是再短些，再细一些就好了。"

孙悟空的话还没有说完，那个宝贝就短了几尺，也细了一圈。孙悟空看了看说："再细些就更好了。"那个宝贝真的又细了许多。悟空拿过来，见上面写着："如意金箍棒、重一万三千五百斤"。悟空拿着顺手玩了一会儿，觉得十分好用。

孙悟空又向老龙王要了一副黄金甲、一顶

凤翅紫金冠、一双藕丝步云鞋。

回到花果山，悟空才发现那根金箍棒竟可以变成绣花针一样大小，藏进耳朵中。

不顺心的事又来了。一天，悟空在桥边的松树下睡觉，迷迷糊糊地见两个人手里拿着写有"孙悟空"的批文，走到他身边也不说话，用绳索把他一套，拉起来就走。

悟空糊里糊涂地跟他们来到一座城门外，看见城楼上有一块牌子，牌子上写着"幽冥界"三个大字，才知道这里是阎王住的地方，转身就要走。两个勾魂鬼死死拉住他，非要拉他进去。孙悟空一看火了，从耳朵中掏出了金箍棒，把两个勾魂鬼打成了肉酱。

他甩掉套在身上的绳套，挥着金箍棒直打到城里，又一直打到森罗殿前。十位冥王见悟空长得十分凶恶，吓得不知道该怎么办。悟空说："俺老孙已经修成仙道，能长生不老。快拿生死簿来！"

悟空登上森罗殿，从生死簿上将自己的名字和所有猴子的名字通通勾掉，说："这下好极了，好极了，今后再也不归你们管了。"说完又一路打出了幽冥界。

第三回
齐天大圣大闹天宫

龙王和冥司阎王先后都来找玉皇大帝，状告孙悟空大闹龙宫和地府。玉皇大帝正要派天兵天将去收服孙悟空。这时，太白金星走了出来说："不如随便给他一个官职，把他困在天上。"玉帝想了想，就同意了，命文曲星写了一封诏书，叫太白金星请悟空上天。

孙悟空跟着太白金星驾着云来到灵霄殿上，玉帝让悟空当"弼马温"，专门给他看马。过了半个月悟空才知道，原来自己的官职在天上是最小的。一气之下，孙悟空便拿出金箍棒，杀出南天门，回到花果山，自封"齐天大圣"。还做了一面大旗，插在花果山上。

玉帝听说孙悟空又回到花果山，马上命令托塔李天王和三太子哪吒，带兵去捉拿悟空。

没想到先锋官巨灵神和悟空没打几个回合，宣花斧就成了两截。哪吒一见气得头发都竖了起来，大喊一声，变成三头六臂，拿着六件兵器和悟空打了起来。

悟空也摇身变成三头六臂，拿着三根金箍棒跟哪吒打了好长时间，仍不分胜负。

悟空偷偷拔下一根毫毛变成自己，跟哪吒打，真身却绕到哪吒身后，举起棒子就打。哪吒躲闪

不及，被打中左臂，痛得

顾不上还手，转

身就跑。

玉帝准

备多派些兵

将，再去和

孙悟空打。

这时太白金星又说："不如封孙悟空一个有名

无权的齐天大圣，什么事也不让他管，只把他

留在天上，免得再派人去打，伤了兵将。"玉帝

听了觉得有理，于是又派太白金星去讲和。

悟空听说后，十分高兴，跟太白金星又一

次来到天宫。玉帝马上让人在蟠桃园右侧为

孙悟空修了一座齐天大圣府，让他去管蟠桃

园。这桃园前、中、后各有桃树一千二百棵。

前面的树三千年结果成熟，吃了可以成仙；中

间的树六千年结果成熟,吃了能长生不老;后面的树九千年结果成熟,吃了以后可以跟日月同辉,天地齐寿。

一天,他见园中的桃子大部分都熟了,便偷偷地跑进园子,脱了衣服,爬上大树,挑熟透的大桃吃了个饱。从此以后,每隔两三天,他就设法去偷桃吃。每年一次的蟠桃会到了,这天,七位仙女奉王母娘娘之命进园摘桃。

七位仙女见园中的熟桃不多,便四处寻找。找了好长一段时间,最后在一棵大树梢上发现有个熟透的桃,就把树梢扯了下来。

没想到悟空正好睡在这棵树上,被惊醒了。他拿出金箍棒叫了声:"谁敢偷桃?"

七位仙女吓得一齐跪下,说明了来这里的原因。悟空问蟠桃会请了什么人,当他知道没有自己时,十分生气。

他用定身法把七位仙女定住，然后驾着云来到瑶池。趁赴宴的众仙还没有到，悟空拔了根毫毛，变成瞌睡虫，佣人们立刻呼呼大睡了。

他跳到桌上，开怀痛饮……

他吃饱喝足后才走出瑶池，迷迷糊糊地走到太上老君的兜率宫里。刚好宫里没有人，他就把五个葫芦里的金丹全部倒出来吃了，吃完才想到闯了大祸，可能保不住性命。于是又回到瑶池，偷了几罐子好酒，回花果山去了。

玉帝听到悟空大闹瑶池和兜率宫，大发脾气，命令李天王和哪吒太子率领十万天兵天将，布下十八层天罗地网，一定要捉拿悟空回来。但是天兵天将都不是悟空的对手，一个个都败下来了。于是观音菩萨就建议让灌江口的显圣二郎神到花果山去捉拿孙悟空。

二郎神奉命，带领梅山六兄弟，点了些精

兵良将，杀向花果山。他请李天王举着照妖镜站在空中，对着悟空照，自己到水帘洞前挑战。

悟空出洞迎战，与二郎神打得难分难解。梅山六兄弟见悟空这时顾不上他们，就乘机杀进了水帘洞。

悟空见自己的老窝被破坏了，心里一慌，变成麻雀想跑，二郎神摇身变成了捉麻雀的鹰，抖抖翅膀就去啄麻雀；悟空急忙又变成一只大鹚鸟，冲向天空，二郎神急忙变成了一只大海鹤，钻进云里去扑；悟空一见"嗖"地一声飞进水里，变成一条鱼。

二郎神从照妖镜里看见了悟空，就变成鱼鹰，在水面上等着；悟空见了，急忙变条水蛇，窜到岸边，接着又变成花鸨，立在芦苇上。二郎神变回原来的样子，取出弹弓，朝着花鸨就打，把悟空打得站立不稳。

悟空趁机

滚下山坡，变成一座土地庙。二郎神追过来，见庙的后面立着根旗杆，就知道是悟空变的，拿起兵器就朝门砸过去。悟空见被看出来了，往上一跳，变回原样就跑，二郎神驾着云追了过去。两个人一边走一边打，又来到花果

19

shān gēn qián
山跟前。

gè lù de tiān bīng shén jiàng yì yōng ér shàng bǎ wù kōng tuán tuán wéi
各路的天兵神将一拥而上，把悟空团团围

zhù zài nán tiān mén guān zhàn de tài shàng lǎo jūn chèn jī bǎ jīn gāng zhuó cháo
住，在南天门观战的太上老君趁机把金钢琢朝

wù kōng rēng guò qù wù kōng bèi dǎ zhòng tóu bù shuāi le yì jiāo èr
悟空扔过去。悟空被打中头部，摔了一跤。二

láng shén de xiào tiān quǎn pǎo shàng qù yǎo zhù le wù kōng qí tā tiān shén
郎神的哮天犬跑上去，咬住了悟空，其他天神

zé pū shàng qù bǎ wù kōng àn zhù yòng tiě liàn chuān zhù pí pa gǔ kǔn le
则扑上去把悟空按住，用铁链穿住琵琶骨捆了

huí qù
回去。

sūn wù kōng bèi bǎng zài zhǎn yāo tái shang dàn bú lùn yòng dāo kǎn fǔ
孙悟空被绑在斩妖台上，但不论用刀砍斧

duò hái shi yòng léi dǎ huǒ shāo dōu bù néng shāng tā yì gēn háo máo tài
剁，还是用雷打火烧，都不能伤他一根毫毛。太

shàng lǎo jūn qǐ zòu yù dì bǎ wù kōng fàng dào bā guà lú li róng liàn
上老君启奏玉帝，把悟空放到八卦炉里熔炼，

yù dì zhǔn zòu yú shì wù kōng bèi dài dào dōu shuài gōng zhòng shén xiān
玉帝准奏。于是，悟空被带到兜率宫，众神仙

bǎ tā tuī jìn bā guà lú li shāo huǒ de tóng zǐ yòng shàn zi shǐ jìn shān
把他推进八卦炉里，烧火的童子用扇子使劲扇

huǒ sì shí jiǔ tiān guò qù le tài shàng lǎo jūn xià lìng dǎ kāi lú mén
火。四十九天过去了，太上老君下令打开炉门。

wù kōng hū rán tīng dào lú dǐng yǒu xiǎng shēng tái tóu kàn jiàn yí dào guāng
悟空忽然听到炉顶有响声，抬头看见一道光，

yòng lì yí tiào tiào chū liàn dān lú tī dǎo lú zi zhuǎn shēn jiù pǎo
用力一跳，跳出炼丹炉，踢倒炉子，转身就跑。

sūn wù kōng bú dàn méi yǒu bèi róng huà fǎn ér liàn jiù le yì shuāng
孙悟空不但没有被熔化，反而炼就了一双

火眼金睛。他从耳朵中掏出金箍棒，迎风一晃，变成碗口那么粗。悟空抢起金箍棒，一路指东打西，直打到灵霄殿上，大声叫喊着："皇帝轮流做，玉帝老头，你快搬出去，把天宫让给我，要不，就给你点厉害看看！"

幸好有三十六员雷将，二十八座星宿赶来保护，玉帝才能脱身。玉帝立即派人去西天请如来佛祖。如来知道后，带着阿傩、伽叶两位尊者，来到灵霄殿外，命令停止打斗，叫悟空出来，看看他有什么本事。悟空怒气冲冲地看着如来，根本就不把如来放在眼里。

如来佛祖伸开手掌说："如果你有本领一筋斗翻出我的手掌，我就劝玉帝到西方去，把位子让给你。"悟空一听心里还挺高兴，就把金箍棒放回耳朵里，轻轻一跳，站在如来佛的手心中，喊到："我去了！"一个筋斗，无影无踪。

21

悟空驾着云飞一样地往前赶，忽然见前面有五根肉红色的柱子，想这肯定是天边了，柱子一定是撑天用的，这才停下来。他害怕回去见如来没有凭证，就拔下一根毫毛，变成一支笔，在中间的一根柱子上写下"齐天大圣到此一游"八个大字。

写完收了毫毛，又跑到第一个柱子下撒了一泡猴尿，然后又驾起筋斗云，回到如来佛祖手掌里说："如果你说话算数，就快叫玉帝让位子吧！"如来佛却说孙悟空根本没有离开他的掌心。悟空不服，要如来去看看他在天边留下的证据。

如来佛不去，他让悟空看看他右手的中指，再闻闻大拇指根。悟空睁大火眼金睛，只见佛祖右手中指上有他写的那八个大字，大拇指丫里还有些猴尿的臊气。悟空吃惊地说："我不信，我一点也不信，我把字写在撑天的柱子上，怎么却在你手上？等我去看看再说。"

悟空转身想跑，如来佛眼疾手快，反手一扑，把悟空推出西天门外，又把手的五指分别化作金、木、水、火、土五座联山，给这座联山起名叫"五行山"，将悟空牢牢压在山下……

如来佛祖从袖子里取出一张帖子，上面写着"唵、嘛、呢、叭、咪、吽"，叫阿傩、伽叶拿去贴在五行山顶的一块方石头上，孙悟空再也没有办法出来了。

如来佛祖回西天时，又发了慈悲心，叫来山神，让他和五方揭谛住在这座山上，监押悟空，并对他们说："如果他饿了，就给他吃些铁丸子，渴了，就把溶化的铜水给他喝。五百年以后，他刑期满了，自然会有人来救他。"

第四回
五行山从师取真经

wǔ bǎi nián hòu guān yīn pú sà fèng le rú lái fó de fǎ zhǐ
五百年后，观音菩萨奉了如来佛的法旨，

dài zhe jǐn lán jiā shā jiǔ huán chán zhàng děng bǎo bèi gēn huì àn xíng zhě
带着锦襕袈裟、九环禅杖等宝贝，跟惠岸行者

lái dào dōng tǔ dà táng xún zhǎo qù xī tiān qiú qǔ sān zàng zhēn jīng de rén
来到东土大唐，寻找去西天求取三藏真经的人。

zhè yì tiān zhèng shì táng tài zōng lǐ shì mín mìng lìng gāo sēng chén xuán
这一天，正是唐太宗李世民命令高僧陈玄

zàng zài huà shēng sì shè tán xuān jiǎng fó fǎ de rì zi chén xuán zàng yuán
奘在化生寺设坛宣讲佛法的日子。陈玄奘原

lái shì rú lái fó de èr dì zǐ jīn chán zǐ zhuǎn shì guān yīn yǔ huì
来是如来佛的二弟子金蝉子转世。观音与惠

àn xíng zhě biàn chéng le yóu fāng hé shang pěng zhe jiā shā děng bǎo bèi dào
岸行者变成了游方和尚，捧着袈裟等宝贝到

huáng gōng mén wài bài jiàn táng tài zōng
皇宫门外，拜见唐太宗。

guān yīn shuō rú lái fó zǔ nà er yǒu sān zàng zhēn jīng nǐ
观音说："如来佛祖那儿有三藏真经，你

rú guǒ pài chén xuán zàng qù xī tiān qiú qǔ zhēn jīng zhè xiē bǎo bèi jiù sòng
如果派陈玄奘去西天求取真经，这些宝贝就送

gěi nǐ le shuō wán gēn huì àn xíng zhě biàn chéng yuán lái de yàng zi
给你了。"说完，跟惠岸行者变成原来的样子，

jià qǐ yún zǒu le tài zōng yí jiàn shì guān yīn pú sà lián máng dài lǐng
驾起云走了。太宗一见是观音菩萨，连忙带领

满朝文武官员向天朝拜。

唐太宗将锦襕袈裟等宝物送给了陈玄奘，

将他的名字改为"唐三藏"，并率领文武百官

一路送到长安城外，和三藏依依惜别。

唐三藏别名为唐僧。唐僧踏上行程的第

三天，天还没亮，唐僧就和两个仆人借着月光

赶路。走了十几里

就开始上山了，忽

然一脚踏空，三人

和马一起摔进了深坑。

接着一阵狂风，出现了一群妖怪。一个叫寅将军的妖怪把唐僧的两个仆人剖腹挖心，生吃掉了。唐僧差点被吓昏过去。这时，太白金星及时赶来，救了唐僧。

唐僧骑着马，沿着山路往前走，走了半天，也不见一个人。他正找水喝时，忽然看见前面有两只老虎，张开了血盆大嘴，又往四周看看，发现身后是吐着红信的毒蛇，左边是有毒的虫子，右边又是些从未见过的野兽。唐僧被困在中间，急得不知如何是好。

就在这时，野兽忽然都逃跑了。只见一个手拿钢叉，腰挂弓箭的大汉从山坡上走了过来。原来是一个叫刘伯钦的猎户。

刘伯钦请唐僧到家中做客。第二天，唐僧要上路了，刘伯钦带了几个人，拿着捕猎的工具送唐僧。走了半天，他们来到一座大山前。

他们走到半山腰时，刘伯钦等人站住说："长老，前面就要到两界山了，山东边归大唐管，山西边是鞑靼的疆域，我们不能过去，您一路上可要小心啊！"唐僧只好和他们道别，忽听山脚下有人喊："师父快过来，师父快过来！"

唐僧吓得胆战心惊。刘伯钦赶忙说："长老莫怕，听老人说，当年王莽造反时，这座山从天而降，山下还压着一个饿不死，冻不坏的神猴，刚才肯定是那神猴在叫喊，长老不妨去看看。"

这神猴正是当年被如来压在山下的孙悟空，他一见唐僧就喊道："师父快救我出去，我保护你到西天取经。几天前观音菩萨来劝过我，让我给您当徒弟。"

一听是观音指点拜师的，三藏就依猴子说

的，上山把那写着六个金字的帖子揭下，和刘伯钦等人退到十里之外的地方等着。

只听一声天崩地裂般的巨响，五行山裂成两半，顿时飞沙走石，满天灰尘，让人睁不开眼睛……

刘伯钦等人见唐僧收了徒弟，非常高兴，告别了唐僧师徒回家去了。悟空立刻收拾行李，和师父一道出发。没过多久，师徒二人出了大唐边界。忽然从草丛中跳出一只大老虎。

28

孙悟空放下行李，从耳朵中取出金箍棒，高兴地说："老孙已经五百多年没有用过这宝贝了，今天用它弄件衣服穿穿！"说完抢起金箍棒对着老虎一击，老虎就死了。

悟空用虎皮做了条皮裙围在腰间，师徒继续赶路。忽然一声口哨声，跳出六个强盗，要抢他们的马和行李。

悟空取出金箍棒将六个强盗打成了肉酱。唐僧见了很不高兴地说："他们虽然是强盗，但也不至于都要打死，你这样残忍，怎能去西天取经呢？阿弥陀佛。"

孙悟空一气之下，纵身一跳，驾上筋斗云，

要回花果山去。这时观音菩萨出现了，观音送给唐僧一件衣服和一顶花帽，说："给你那不听话的徒弟穿上吧！还有一篇紧箍咒，如果他再不听话，你就念咒，他就不敢不听了！"

观音驾着祥云，追上悟空，让他赶快回到唐僧身边。

唐僧将衣帽让回来的悟空穿戴好，想试试紧箍咒灵不灵，就小声念了起来。悟空马上痛得满地打滚，拼命去扯那帽子，可帽子却像长在肉里一样，取也取不下来，扯也扯不烂。

悟空发现头痛是因为师父在念咒，忙喊："师父别念了！别念了！"从此，悟空不再胡来，发誓以后一定听师父的话，保护他到西天取经。

师徒俩继续向西行。一天，他们来到蛇盘山鹰愁涧，突然从涧中钻出一条白龙来，张着爪子向唐僧冲了过来。悟空慌忙背起唐僧，驾

30

云就跑。那龙追不上悟空，就张开大嘴把白马给吞吃了，然后又钻进了深涧。

观音菩萨驾云来到鹰愁涧，朝涧中喊了一声，那白龙立刻出来了。原来这白龙是西海龙王的儿子，犯了死罪，是观音讲了个人情，让他给唐僧当马骑的。

观音菩萨说："小白龙，你师父已经来了！"边说边吹了口仙气，喊声"变"，白龙变成了一匹白马。

唐僧骑上白龙马，走起路来轻松了许多。

一天傍晚，师徒二人来到山谷里的一座观音院。在这里，因为悟空和老和尚斗宝，那老和尚原来是黑风怪变的，结果唐僧的袈裟丢失了……多亏观音收了黑风怪，才使袈裟失而复得。

唐僧师徒离开了观音院，又向西出发。

这一天，天快黑了，他们来到一个叫做高老庄的村子。碰巧，庄主高太公正在到处寻找能捉妖怪的法师。

原来，高太公有三个女儿，前两个女儿已经出嫁，到了三女儿，就想找个上门女婿来支撑门户。三年前来了个又黑又壮的青年，自

称是福陵山人，姓朱。三女儿对他还算满意，高太公就让他们成了家。

开始这个女婿很勤快，耕田下地，收割粮食，样样都行。没想到过了一阵，他突然变成一个猪头猪脑的妖怪，一顿饭要吃三五斗米，来去都腾云驾雾。这半年来，他竟然把三女儿

锁在后院，不让人进去。

悟空听了高太公的话，拍拍胸脯说："这个妖怪我捉定了。"

悟空来到后院，救出高太公的女儿，并让高太公父女先离开，自己变成三女儿的模样。

没过多久，院外一阵狂风刮来，那妖怪出现在半空中。那妖怪摸进房中，口中喊着："姐姐，姐姐，你在哪儿呀？"

悟空故意叹口气说："我听爹说请了法师来抓你！"那妖怪说："不怕，不怕，咱们上床睡吧！"悟空说："我爹请的可是那五百年前大闹天宫的齐天大圣……"那妖怪倒吸了口凉气说："咱们做不成夫妻了。"

妖怪打开门就往外跑，悟空从后面一把扯

34

住他的后领子，把脸一抹，现出原形大叫道：

"妖怪，你看我是谁？"

那妖怪一见是悟空，吓得手脚发麻，"呼"地一下化成一阵狂风跑了。

悟空跟着这股妖风一路追到高山上，只见那股妖风钻进了一个洞里。悟空刚落下云头，那妖怪已从洞中出来了，手里拿着一柄九齿钉耙骂道："你这个弼马温！当年大闹天宫，不知连累了我们多少人。今天我在高老庄招亲，跟你有什么关系，你欺人太甚，让你尝尝我的厉害，看耙！"

原来这妖怪是天上的天蓬元帅，在王母娘娘的蟠桃会上喝得酩酊大醉，闯进了广寒宫，调戏了嫦娥。玉皇大帝要依天条将他处死，多亏太白金星求情，重打了两千铜锤，打入凡间投胎。没想到他性急，竟错投了猪胎，落得如此模样。

这时他和悟空打了一会儿，就觉得抵挡不住了，拔腿就往洞中逃。

妖怪骂道："泼猴，你原来不是在花果山水帘洞，怎么跑到这儿来了，是不是我丈人到那儿把你请来的？"

悟空说："不是，我是保护唐僧西天取经路过这……"妖怪一听"取经"二字，"啪"地一声一丢钉耙……

那妖怪来到唐僧面前"扑通"一声跪下说：

"我受观音菩萨劝导，在这里等你们，我愿意跟师父西天取经，也好将功折罪。"唐僧十分高兴，给他取了个法号叫猪悟能，别名猪八戒。

高太公给猪八戒准备了一套僧衣、僧鞋、僧帽。

临走的时候，八戒一再叮嘱说："丈人啊！你好好照看我老婆，如果取不成经，我还是要还俗的。你不要把我的老婆再许给别人呀！"

悟空听了笑骂他胡说八道，八戒却说："我这是给自己留条后路呢！"

师徒三人不怕千辛万苦，日夜赶路向西前进。这天来到一座很险峻的山下，忽然刮来一阵旋风。悟空让过了风头，一把抓住风尾闻了闻，有一股腥臭气，说："闻这风的味儿，说明附近不是有猛虎就是有妖怪。"

话还没说完，山坡下就跳出一只斑斓猛虎，把唐僧吓得从白马上滚了下来。八戒扔了行李拿着耙，对准老虎劈头就砍。

老虎突然变成个人样，喊道："慢着！我是黄风大王的开路先锋，你是哪里的和尚，敢拿兵器伤我！"孙悟空也冲上前去和八戒两个夹攻那个妖怪。

妖怪慌了手脚，就使了个金蝉脱壳之计，用爪子剥下虎皮，盖在一块卧虎石上，自己变成一股狂风，一把抓起唐僧，驾着狂风跑了。

那妖精把唐僧抓到洞中，老妖怪大吃一惊。原来他知道孙悟空的厉害，心里十分害怕，就叫小妖们把唐僧拉到后园子里，绑在定风柱上。并嘱咐说先不要吃，等过上三五天，如果唐僧的徒弟不来捣乱的话，那时候再吃也不迟。

悟空发现中计后，急忙回到路口去找师父，哪里还有师父的影子。

师兄弟两个追进山中，穿山越岭，忽然看见一块岩石下有座山门，上面写着"黄风岭黄风洞"六个大字。悟空让八戒看着马和行李，自己到洞口叫阵。

老妖怪的先锋自告奋勇，点齐五十名精壮

部下出战。几个回合下来，那妖怪就坚持不住了……老妖听说悟空拖着先锋官的尸体前来骂阵，气得不得了，两个人在黄风洞口，你一叉，我一棒，打得难解难分。

悟空求胜心切，便从身上拔下一把毫毛，吹了口仙气，这些毫毛立刻变成了一百多个悟空，每人手拿一根金箍棒，把老妖团团围住。

老妖哪里遇见过这场面，心中十分惧怕，朝地上吹了口气，顿时天上刮起一阵狂风，把那一百多个悟空吹得像风车一样在空中乱转。

悟空急忙把毫毛收回身上，举着金箍棒冲向老妖。老妖知道难胜悟空，于是猛地朝悟空脸上吹了口气，悟空顿时觉得眼睛似乎被无数根针尖猛扎，疼得睁不开眼睛，立刻败下阵来。老妖乘机收兵回去了。

师兄弟两个见天也晚了，

决定明日再找老妖算账。他们牵着马走出山坳，见南山坡下有一院子，就去请求借宿。

老大爷连忙叫人收拾床铺，准备饭菜。悟空眼睛泪流不止，老大爷拿出一个玛瑙石做的小罐子，说这是有个仙人传给他的一种药，叫三花九子膏，专治一切风眼。老大爷给悟空眼睛点了一些，让他不要睁开。

悟空干脆躺下就睡，直睡到第二天早晨才醒，他使劲眨了眨眼，不痛了。奇怪的是，师兄弟俩竟躺在草地上。

往四周一望，见树上有张条子，取下来一看，才知道昨天晚上的院子和老大爷都是护法伽蓝变的。

悟空来到黄风洞前，变成一只花脚蚊虫，从门缝飞了进去，见师父被绑在定风柱上，就飞到唐僧头上，轻声地安慰了一番，让他不用担心害怕。

悟空又飞回大厅，正好碰见一个小妖来报："大王，只有一个长嘴大耳朵的和尚坐在树林里，那个毛脸和尚不见了，说不定是搬兵去了。"

老妖说："怕什么，除了灵吉菩萨，我什么人都不怕！"悟空听了，心中一阵欢喜。

在太白金星相助下，悟空找到了灵吉菩萨。

灵吉菩萨拿出定风丹，又取了飞龙宝杖，与悟空驾云来到黄风山上。他让悟空到山门

qián qù tiǎo zhàn，yǐn yòu huáng fēng guài chū lái
前去挑战，引诱黄风怪出来。

nà lǎo yāo zhāng zuǐ yòu xiǎng hū fēng，bàn kōng zhōng de líng jí pú sà
那老妖张嘴又想呼风，半空中的灵吉菩萨

rēng xia fēi lóng bǎo zhàng，biàn chéng yì tiáo bā zhuǎ jīn lóng，shēn chū liǎng gè
扔下飞龙宝杖，变成一条八爪金龙，伸出两个

zhuǎ zi，yì bǎ zhuā zhù nà lǎo yāo，tí zhe tóu shuāi zài shí yá biān shang
爪子，一把抓住那老妖，提着头摔在石崖边上。

yāo guai xiàn chū yuán xíng，yuán lái shì yì zhī huáng máo diāo shǔ
妖怪现出原形，原来是一只黄毛貂鼠。

wù kōng jǔ bàng jiù xiǎng dǎ，líng jí pú sà máng lán zhù wù kōng
悟空举棒就想打，灵吉菩萨忙拦住悟空

shuō："màn zhe，tā běn shì líng shān jiǎo xià de lǎo shǔ，yīn wèi tōu chī
说："慢着，它本是灵山脚下的老鼠，因为偷吃

le liú lí dēng li de qīng yóu，pà jīn gāng zhuō tā cái pǎo dào zhè lǐ
了琉璃灯里的清油，怕金刚捉它才跑到这里

chéng jīng zuò guài。tā jì xiàn le yuán xíng，jiù ràng wǒ bǎ tā zhuā qù
成精作怪。它既现了原形，就让我把它抓去

jiàn rú lái，kàn gāi zěn yàng chǔ zhì tā。wù kōng，nǐ kàn zhè yàng kě
见如来，看该怎样处置它。悟空，你看这样可

hǎo？"
好？"

wù kōng xiè le líng jí pú sà，zài lín zhōng zhǎo dào bā jiè，yì
悟空谢了灵吉菩萨，在林中找到八戒，一

qǐ bǎ dòng zhōng de dà xiǎo yāo guai quán dōu dǎ sǐ，jiù chū táng sēng，yòu
起把洞中的大小妖怪全都打死，救出唐僧，又

jì xù shàng lù xī xíng
继续上路西行。

第七回
流沙河沙和尚拜师

唐僧师徒三人过了黄风岭，一路上特别小心。天亮赶路，天黑就休息，这样过了一年。

这天来到了一条一望无际、汹涌澎湃的大河边。悟空跳到空中一看，估计这条河少说也有八百里宽，不但看不到渡船，连个人影都没有。

突然八戒叫道："师兄，快到这儿来！"原来岸边有一块石碑，走近一看，碑上刻着"流沙河"三个大字。碑背面刻着"八百流沙界，三千弱水深，鹅毛飘不起，芦花定底沉"四行小字。

唐僧倒吸一口冷气说："这可怎么办？"突然，一声巨响，河中钻出一个妖怪来。

那妖怪朝唐僧扑了过来。悟空慌忙护着师父，八戒挥着钉耙，与妖怪在河边打了起来，打了半天仍不分胜负。悟空纵身一跃，举起棒子朝妖怪打去。那妖怪挥杖一挡，震得双臂发麻，虎口迸裂。

那妖怪慌忙跳到河里，钻入水底。八戒念了个"避水咒"，拿着耙子钻进水府。

妖怪举杖便打。两个人从水底打到水面，又从水面打到水底，整整两个时辰仍不分胜负。悟空插不上手，急得在旁边挤眉弄眼地做手势，要八戒把妖怪引到岸上来。

八戒正打在兴头上，哪能看懂

悟空的意思。悟空急了，忍不住一个筋斗跳到云上，变成一只饿鹰扑落下来。那妖怪忽然听到头上有风声，抬头见悟空对着自己冲下来，就收起宝杖，一下扎进水里，再也不出来了。

悟空一个筋斗来到南海落伽山紫竹林中，找到观音。观音说："那妖怪原是天上的卷帘大将，因为失手打破了琉璃盏，才被贬到下界。被我劝化，答应保唐僧西天取经的。"

观音菩萨派木叉行者带着一个红葫芦和悟空来到流沙河。木叉行者驾云来到河面上，高声喊道："悟净！悟净！取经的人就在这儿，快点出来跟师父去吧！"

那妖怪听到呼唤，连忙钻出水面。木叉行者说："还不快前来拜见你的师父和师兄们！"

那妖怪整整衣服，拜见了师父和师兄们。

唐僧很高兴又收了一个徒弟，给他剃了头，取

míng wéi shā hé shang
名为沙和尚。

shā hé shang qǔ xia bó zi shang guà de jiǔ gè kū lóu yòng shéng zi
沙和尚取下脖子上挂的九个骷髅，用绳子

yí chuàn yòu bǎ guān yīn pú sà de hóng hú lu shuān zài dāng zhōng fàng dào
一串，又把观音菩萨的红葫芦拴在当中，放到

hé li lì kè biàn chéng le yì zhī xiǎo chuán
河里，立刻变成了一只小船。

táng sēng zài bā jiè hé wù jìng de chān fú xia shàng le chuán xiàng xī
唐僧在八戒和悟净的搀扶下上了船，向西

àn shǐ qù wù kōng qiān zhe bái lóng mǎ zài chuán hòu jǐn jǐn gēn suí
岸驶去。悟空牵着白龙马，在船后紧紧跟随。

dào le àn shang mù chā xíng zhě shōu qǐ le hóng hú lu nà xiē
到了岸上，木叉行者收起了红葫芦，那些

kū lóu lì kè huà chéng jiǔ gǔ yīn fēng yí huì er
骷髅立刻化成九股阴风，一会儿

jiù bú jiàn le
就不见了。

第八回
试禅心八戒撞天婚

没走多久，天渐渐黑了，在不远处的一片小树林中，隐隐可以看见一栋豪华的门楼。唐僧高兴地说："今夜可有住宿的地方了。"唐僧师徒刚走到门口，刚好屋里走出一位中年妇女。唐僧忙施礼，说明来意，那妇人一听便请

唐僧师徒进屋休息。

那妇人把

唐僧师徒领到

大厅，吩咐佣人准备斋饭，自己和唐僧话起家常来："我家家财万贯，良田千顷。唉！可是丈夫前年死了，只有三个女儿与我相伴，看你们师徒四人都是正人君子，不如给我家当上门女婿，师父看怎么样？"唐僧的脸红到了耳根，只装作没听见，也不回话。八戒听见有这么多家产，又有绝色美女，便动了心……跟着那妇人左拐右拐，来到了后房……

八戒被带走以后，那妇人又派人给唐僧、悟空和沙僧送来很多好吃的。吃完以后，他们就在前厅睡着了。一觉醒来，东方已经发白。唐僧急着赶路，睁开眼一看，原来住的那些华丽的房子都不见了，他们三人竟然睡在野地里。

唐僧吓得忙叫醒悟空和沙僧。悟空回头看了看，发现对面的一棵老柏树上，挂着一张纸条。他走过去扯下纸条，拿给师父看，这才明白昨天晚上的那四位女子，是由黎山老母、观音、普贤和文殊四位菩萨变的，来试试他们取经的决心。这时，树林中传来了八戒的叫声："师父，快来救我，我下次再也不敢了！"

唐僧、悟空、沙僧顺着声音找过去，只见猪八戒被紧紧捆着，吊在树上大喊大叫。悟空走过去逗他："新郎官怎么不在新房中，跑到树上打秋千耍杂技？"沙僧见了，不忍心八戒受罪，把他放了下来。八戒知道自己错了，低着头，请师父原谅，并表示接受教训，要跟师父去取经。于是唐僧带着三个徒弟，对着空中谢过菩萨，然后跨上白马，向西天走去。

第九回
五庄观偷吃人参果

唐僧师徒四人来到一个景色迷人的万寿山五庄观。五庄观里的两个童子听说他们是来自东土大唐要到西天取经的,连忙请他们快进屋。

原来,这童子的师父是镇元子,在五百年前的兰盆会上认识了唐僧的前世金蝉子。

镇元子今天到元始天尊那里讲经去了，临行之前，曾告诉两个童子要好好对待唐僧，并让他们去观里摘两颗宝贝人参果招待他。

两个童子安排好唐僧师徒后，就忙着到果园内去摘了两颗人参果给唐僧吃。唐僧看见人参果就好像刚出生的婴儿一样，吓得使劲摇手不敢吃。

两个童子只好端着人参果，回到房里。因为那人参果不能久放，于是两个童子一人一个，分着吃了。谁知在隔壁的八戒看得清清楚楚，馋得直流口水……

八戒连忙把刚才的事情告诉了放马回来的师兄。悟空早就听说过人参果，只是没有吃过，于是隐身溜进道房，拿走了二童子摘果用的金击子，跑到后园去摘人参果。

这人参果树有一千多尺高，非常茂盛。悟

空跳上树枝，用金击

子一敲，那果子掉在

地上就不见了。悟空

就把果园里的土地神

抓来问罪。

土地神告诉孙悟空，这宝贝树三千年开一

次花，过三千年才结一次果，再过三千年才成

熟，而且只结三十个果子。这果子很奇怪，碰

到金属就从枝头落下，遇到土就钻进土里，打

它时要用绸子接。悟空送走土地神后，一手拿

金击子敲，一手扯着自己的衣服接了三个果子。

wù kōng hé bā jiè shā sēng měi rén chī le yí gè
悟空和八戒、沙僧每人吃了一个。

liǎng gè tóng zǐ jìn fáng lái qǔ chá zhǐ tīng zhū bā jiè zuǐ li gū
两个童子进房来取茶，只听猪八戒嘴里咕

nong shuō rén cān guǒ chī de bú kuài huo zài dé yí gè chī cái hǎo
哝说："人参果吃得不快活，再得一个吃才好。"

liǎng gè tóng zǐ huāngmáng pǎo dào yuán zi li qù shǔ fā xiàn shǎo le
两个童子慌忙跑到园子里去数，发现少了

sì gè guǒ zi xiǎng yí dìng shì bèi táng sēng shī tú sì rén tōu chī le
四个果子，想一定是被唐僧师徒四人偷吃了，

jiù nù qì chōngchōng de lái zhǎo táng sēng jiǎng lǐ
就怒气冲冲地来找唐僧讲理。

wù kōng shī xiōng dì sān rén chéng rèn tōu chī le sān gè liǎng gè tóng
悟空师兄弟三人承认偷吃了三个。两个童

zǐ què shuō shì sì gè hái mà le xǔ duō nán tīng de huà wù kōng huǒ
子却说是四个，还骂了许多难听的话。悟空火

le bá le yì gēn háo máo biàn chéng yí gè jiǎ wù kōng zhàn zài nà ái mà
了，拔了一根毫毛变成一个假悟空站在那挨骂，

zì jǐ tiào shang yún tóu xiàng hòu yuán fēi qù
自己跳上云头向后园飞去。

wù kōng yí jìn guǒ yuán jiù ná chū jīn gū bàng yí zhèn luàn dǎ
悟空一进果园，就拿出金箍棒一阵乱打，

hái bǎ shù lián gēn bá chū shuāi zài dì shang rén cān guǒ cóng shù shang diào
还把树连根拔出，摔在地上。人参果从树上掉

xià lái yòu pèng dào le tǔ jiù quán bù zuān dào tǔ li qù le
下来，又碰到了土就全部钻到土里去了。

liǎng gè tóng zǐ mà wán hòu zài huí dào guǒ yuán yí kàn xià de
两个童子骂完后，再回到果园一看，吓得

pā zài dì shang fàng shēng dà kū shī fu huí lái kě zěn me shuō ya
趴在地上，放声大哭："师父回来，可怎么说呀！"

yú shì liǎng gè tóng zǐ chèn táng sēng shī tú chī fàn shí guān shang jǐ
于是两个童子趁唐僧师徒吃饭时，关上几

道门，又用大铜锁锁上。

等到夜深人静的时候，孙悟空用法术将一道道紧锁的大门都打开，拔了一根毫毛变成两个瞌睡虫……两童子便呼噜地睡着了。唐僧师徒四人趁着黑夜逃出来。

天亮时镇元子回到五庄观，看到这情景，驾着云追上唐僧师徒，让他们赔树。孙悟空看见情况不妙，拿出金箍棒就打。

镇元子是地仙老祖，法力无穷。他躲过棒子，将袍袖一张，把唐僧师徒连人带马一起吸了进去，就算孙悟空本事再大也没法。

大仙回到五庄观，叫小童们把唐僧师徒一个个绑在正殿的柱子上，要先打唐僧。

悟空担心师父可能受不住打，就要求先打自己。大仙见悟空倒还有些孝心，让童子打他三十鞭。

晚上，孙悟空身子一缩，从绳索中钻了出来，又放了其他三个人。然后叫八戒到后花园搬来四枝柳条干，施了法术变成他们四人的样子，按照原样绑在柱子上。师徒四人偷偷溜出五庄观，向西边逃去。

第二天早上，镇元子又带人来打唐僧他们。可是打来打去，也不见他们喊饶命，仔细一看，竟然是四根木头。于是，他又驾云赶上唐僧师徒，把他们抓了回去。

这回大仙不再打他们了，把他们绑在殿前的树干上，要用油锅炸。悟空把殿前的石狮子变成他的替身，绑在树上，自己则偷偷跳到空中。

油烧开了，二十个仙童把孙悟空的替身抬起来，扔到油锅里，不料不仅油锅被砸坏了，还把好几个仙童给烫伤了。

大仙走上前，看见是一只石狮子，非常生气，让手下人再准备一口锅，这回要先炸唐僧。

悟空在空中听见后，赶快落下来说："别，别，还是先炸我吧！"

大仙知道孙悟空的本领高强，也就不再为难他，只要求他把树救活。悟空点头答应，但条件是得先放了唐僧他们。孙悟空只好翻个筋斗云到南海落伽山去找观音菩萨，求她把人参果树救活。

镇元子大仙看见树被救活了，高兴得不得了，立即让仙童敲下十个人参果来，请大家一起参加"人参果大会"。唐僧这时才明白这确实是果子……

第十回
孙悟空三打白骨精

在西行的路上，他们来到一个叫白虎岭的地方。这地方到处是奇形怪状的石头，连一户人家也没有。唐僧肚子饿了，便让悟空去找些吃的。悟空刚走，唐僧就被白骨精这个妖怪发现了。

妖怪自言自语道："真是好运气，听人说，吃一块唐僧肉就可以长生不老。"

白骨精看见唐僧身边有八戒和沙僧保护，就摇身一变，变成了一个年轻漂亮的村姑，又抓了一些癞蛤蟆和一些长尾蛆，变成米饭和炒面筋，装在竹篮里。白骨精走到唐僧面前，说这是为还愿特地来请他们吃的。唐僧半信半

疑，那八戒却嘴馋，接过篮子就准备吃。

这时，刚好孙悟空化斋回来了，用火眼金睛仔细一看，发现是一个妖怪变的女子，举棒便要打。唐僧赶忙拦住悟空，可是，哪里拦得住，一棒已经打去。没想到那个妖怪用了一个法术，扔下一具假的尸体，自己化作轻烟逃走了。

唐僧责怪悟空不该打死人。悟空拿过竹篮，让唐僧看里面的癞蛤蟆和长尾蛆，唐僧这才相信那村姑是个妖怪。猪八戒没有吃成饭，心里很不高兴，说这是悟空使的障眼法，变了些癞蛤蟆、长尾蛆来骗师父。

唐僧居然相信了，念起紧箍咒，疼得悟空满地打滚。

悟空求唐僧饶他，唐僧本来就心慈，看在师徒情分上，答应饶了他这一次。于是，师徒四人又上路了。但是那个白骨精这时却又想出了一条毒计，她摇身一变，又变成了一个七八十岁的老太婆，拄着拐杖，哭着向他们走了过来。

孙悟空睁大火眼金睛，见又是白骨精变的，一句话也不说，举着棒子就打。那个妖怪又扔下一具假的尸体在路边，化作一阵风逃走了。唐僧吓得差点从马上掉下来，一气之下，一口气把紧箍咒念了二十遍，要赶走悟空。

孙悟空头疼得厉害，向师父求饶，唐僧只

好再饶悟空一次。

白骨精不甘心就这样放走唐僧，又变成一个白发老公公，来找他的妻子和女儿。

虽然悟空早已认出他是妖怪，但是害怕师父又念咒语，就没有立刻动手。那白骨精却把唐僧拉下马来，说是要到官府去告他。悟空急了，抡棒就要打，没想到那妖怪却躲到唐僧的

背后。唐僧见他又要打人，气得念起了紧箍咒，痛得悟空倒在地上。白骨精见了，便在一旁偷偷地冷笑。悟空忍着疼，挣扎起来，变成三个，一起举棒打死了妖怪。

白骨精这次来不及脱身，被打得现了原形，成了一堆白骨，在脊梁骨上还刻有"白骨夫人"四个字。悟空把这些指给唐僧看，唐僧这才有点相信。不料，八戒却在一边插嘴："大师兄是怕师父念咒，才用了法术，变出副白骨来骗人的。"

唐僧一听，非常生气，不管悟空怎么求饶，沙僧怎样说情，一定要把悟空赶走，并且写了一张贬书，递给悟空。悟空见师父已经下定决心，长叹一声，转身握住沙僧的手，含着泪说："好好保护师父，如果遇到妖怪，就说我是他的大徒弟，妖怪就不敢伤害师父了。"

第十一回
宝象国除怪救公主

sūn wù kōng huí dào huā guǒ shān hòu，táng sēng zài bā jiè hé shā sēng
孙悟空回到花果山后，唐僧在八戒和沙僧

de bǎo hù xia，jì xù xiàng xī tiān zǒu qù。 yì tiān， tā men lái dào
的保护下，继续向西天走去。一天，他们来到

le yí piàn hēi sōng lín，táng sēng dù zi è le，ràng zhū bā jiè qù huà
了一片黑松林，唐僧肚子饿了，让猪八戒去化

zhāi。 zhū bā jiè zhǎo le hěn jiǔ， yě zhǎo bú dào rén
斋。猪八戒找了很久，也找不到人

jiā， zǒu de lèi le， jìng yí pì gu zuò zài cǎo cóng
家，走得累了，竟一屁股坐在草丛

li shuì zháo le。
里睡着了。

táng sēng bú jiàn bā jiè huí lái， jiù
唐僧不见八戒回来，就

ràng shā sēng qù zhǎo tā。 zì jǐ què zǒu
让沙僧去找他。自己却走

cuò le lù chuǎng jìn yāo guai de dòng xué
错了路，闯进妖怪的洞穴……

bā jiè hé shā sēng jiàn shī fu bèi yāo guai lǔ zǒu jiù lái dào le
八戒和沙僧见师父被妖怪掳走，就来到了

yāo guai de bō yuè dòng bā jiè èr huà méi shuō jǔ zhe dīng pá jiù qù
妖怪的波月洞，八戒二话没说，举着钉耙就去

zá mén
砸门。

lǎo yāo huáng páo guài tīng jiàn zá mén shēng pǎo le chū qù hé bā
老妖黄袍怪听见砸门声跑了出去，和八

jiè shā sēng dǎ le qǐ lái
戒、沙僧打了起来。

zhè shí yí gè nǚ zǐ wèn bèi bǎng zài dòng zhōng de táng sēng shì cóng
这时，一个女子问被绑在洞中的唐僧是从

nǎ lǐ lái de táng sēng kàn tā bú xiàng yāo guai jiù rú shí de gào su
哪里来的。唐僧看她不像妖怪，就如实地告诉

le tā nà nǚ zǐ gào su táng sēng yuán lái tā shì lí zhè bù yuǎn de
了他。那女子告诉唐僧，原来她是离这不远的

bǎo xiàng guó de sān gōng zhǔ míng jiào bǎi huā xiū bèi yāo guai qiǎng lái dāng
宝象国的三公主，名叫百花羞，被妖怪抢来当

qī zi yǐ jīng shí sān nián le
妻子已经十三年了。

bǎi huā xiū dā ying jiù táng sēng chū qù bìng ràng táng sēng dài yì fēng
百花羞答应救唐僧出去，并让唐僧带一封

xìn gěi bǎo xiàng guó guó wáng yú shì táng sēng dài zhe bǎi huā xiū xiě de
信给宝象国国王。于是唐僧带着百花羞写的

xìn cóng hòu mén táo chū le shān dòng
信，从后门逃出了山洞。

bǎi huā xiū huí dào dòng zhōng gù yì dǎ kāi hòu mén bǎ zì jǐ
百花羞回到洞中，故意打开后门，把自己

de yī fu hé tóu fa nòng luàn pǎo dào mén qián duì zhèng zài dǎ dòu de
的衣服和头发弄乱，跑到门前，对正在打斗的

64

黄袍怪喊道："不好了，那唐朝和尚用法术解开了绳子从后门逃走了！"

黄袍怪听了，大吃一惊，连忙下了云头，回到洞中。

第二天，唐僧去拜见宝象国国王，等到换了关文，就把百花羞的信献上。

国王读完信后放声大哭，请求唐僧去捉拿妖怪。八戒满口答应。

八戒和沙僧来到了波月洞前，八戒举起钉耙，一耙把洞门打了个斗大的洞。黄袍怪见了气得不得了，拿着刀出来迎战，当他得知是宝象国国王派他们来的时候，很是生气。

渐渐地，猪八戒体力跟不上，就借口说要撒尿，偷偷地溜走了。沙僧敌不过黄袍怪，被妖怪捉到洞里。

黄袍怪觉得是逃走的唐僧坏了他的好事，

于是他变成一个英俊的书生，来拜见宝象国国王。黄袍怪和宝象国国王说自己是一个猎户，十三年前打猎时碰到一只猛虎，驮着个姑娘，他将姑娘救下，结了夫妻，最近才知道那姑娘是三公主，特地来认亲。

接着他又说那老虎现在已经成了精，假装成一个取经的唐朝和尚到处害人，说着便使了个法术，把唐僧变成了一只老虎。国王被吓得半死，几个胆大的武士上前锁住猛虎，关到了铁笼里。国王非常高兴，命令大摆三天酒席，感谢三驸马。

唐僧变老虎精的事，很快就传开了，白龙马听见官兵的议论，知道师父是被妖怪陷害。

三更时，白龙马变成小白龙飞到宫里，又变成一个送酒的宫女。

小白龙等黄袍怪伸手拿酒的时候，猛地抽出那妖怪腰间的大刀，使尽全身的力气砍去。

那妖怪本领确实高强，赤手空拳和小白龙打了起来。他们从房里一直打到房外，又跳到空中去打，小白龙打不过

那妖怪，后腿被

妖怪打伤，

连忙钻到御水河里。

到了后半夜，猪八戒回到客栈，找不到师父和沙僧，只看见白龙马在马圈里卧着。白龙马把今天发生的事告诉了猪八戒，要八戒去请大师兄回来救师父。

八戒驾着云很快就来到了花果山，开始悟空装作不认识他，举着棒子要打，猪八戒吓得哭了起来。八戒把师父遇难的事告诉了悟空，苦苦哀求他前去解救师父。悟空想了半天，终于答应了。

悟空和八戒驾云来到波月洞前，他们先救出沙僧，然后用计把黄袍怪从宝象国引回波月洞。黄袍怪来到洞里，看见百花羞正在那哭着喊疼，一见黄袍怪竟然昏了过去。妖怪连忙扶起百花羞，张开嘴，吐出一个鸡蛋大小的舍利子内丹，让百花羞往疼的地方擦。妖怪话还没

68

有说完，百花羞就一把把内丹抢了过去，吞到
肚子里。

原来这百花羞是悟空变的，妖怪一看悟空
的本来面目，认出他是五百年前大闹天宫的齐
天大圣，吓得冒了一身冷汗，赶快下令让小妖
们把悟空团团围住。悟空变成一个三头六臂
的巨人，手里挥舞着三根金箍棒，好像入无人

zhī jìng
之境……

那妖怪逃出洞外，跳入云中，也变成三头
六臂，拼着命和悟空打了起来。悟空故意露了
一个破绽，那妖怪不知是计，被悟空当头打了
一棒。谁知"吱"一声，竟然消失得无影无踪。

孙悟空到处找也找不到那妖怪，于是跑上
天宫，请玉帝帮着查一查。天师奉命查遍天
上所有的神仙，最后发现二十八星宿中奎木
狼私自离开天上已经十三天了。于是，玉帝命
令其他二十七星宿下凡界去收降奎木狼。

黄袍怪果然是奎木狼变的，玉帝把他收到
天宫后，罚他去给太上老君烧火炼丹。

唐僧恢复了原形。宝象国国王为了感谢
唐僧师徒除妖降怪，救回公主，为他们准备了
丰盛的食物，款待他们。

第十二回
乌鸡国金丹救故主

唐僧师徒一路西行，又经历擒拿金角大王、银角大王等诸多磨难，他们来到了"敕建宝林寺"住下。

当月亮升起时，悟空、八戒和沙僧都已经睡着了，唐僧还端端正正地坐在桌子前背诵经文，三更天时，他也迷迷糊糊地睡着了。睡梦中，他看到一个国王打扮的人走到他跟前，哭着说："我原来是乌鸡国的国王，五年前国家遇到大旱，百姓们都快饿死了，忽然来了一个能呼风唤雨的全真道士，用法术求下了很大一场雨，消除了旱灾。为了感激他，我和他结为兄弟，关系十分密切。谁知两年后，我和那道士一起到花园游览春色，他竟然将我推到了井里，还用青石板盖住井口，在上面种上芭蕉树。他则变成我的样子，夺去我的江山。文武百官，三宫六院都被他骗了。"

国王请求唐僧能够派悟空帮他除掉这个妖怪，并且交给唐僧一块白玉圭，说："明天太子要出城打猎，刚好可以趁机告诉他，这个东西可以作为凭证。在生前这玉圭从来没有离开过我，太子见了，一定能认出。"

唐僧惊醒过来，连忙叫醒三个徒弟，告诉他们梦中发生的事。沙僧打开房门一看，见台阶上果然放着一块白玉圭。大家这才相信唐

僧梦中发生的事是真的，就一起商量怎样捉拿妖怪。悟空眼珠一转，想出了一条妙计。

第二天早上，悟空跳到空中，去看乌鸡国的动静，果然看见太子带着人马出城打猎。悟空就变成了一只白兔，一路带着太子来到了宝林寺门前。

太子走进寺中，唐僧见了他说有三件宝贝要献，第一件是身上的袈裟，穿着他就知道太子有奇冤，父亲被妖怪害死。太子听了大吃一惊。接着，唐僧又让八戒、沙僧拿出两个盒子来，说这是另外两件宝贝。八戒打开其中一个盒子，里面跳出悟空变成的一个两寸高的小和尚，说自己能够知道前后一千五百年的事情。悟空又跳了几下，变成了原来的样子，把国王被害的经过详细讲了一遍，最后说："求雨道士是妖怪变的，是他害死你父亲，抢走了王位。"

唐僧见太子半信半疑，就叫沙僧把第二个盒子交给太子。太子刚把盒子拿到手里，盒子就不见了，手里拿的竟然是那块白玉圭。太子终于相信了唐僧的话，求他帮忙除掉妖怪。于是悟空和太子一起，安排了第二天除妖降怪的计策。

得到唐僧的同意后，当晚，八戒就和悟空一起驾云来到了皇宫的后花园，移走芭蕉树，搬掉青石板。八戒下到井里，把死国王背上井来。

悟空把太上老君送给他

de huán hún dān fàng dào guó wáng de kǒu zhōng　guó wáng lì kè bèi jiù huó le
的还魂丹放到国王的口中，国王立刻被救活了。

　　dì èr tiān　　tā men wǔ gè rén lái dào wū jī guó dǎo huàn guān
　　第二天，他们五个人来到乌鸡国倒换关

wén　　wù kōng bǎ guó wáng de zāo yù duì wén wǔ guān yuán jiǎng le yí biàn
文，悟空把国王的遭遇对文武官员讲了一遍。

　　yāo guai jiàn shì qing yǐ jīng bài lù　露出原形，驾云就
　　妖怪见事情已经败露，露出原形，驾云就

táo　　wù kōng jǐn jǐn zhuī shang　liǎng gè rén　nǐ yí bàng　wǒ yì dāo
逃。悟空紧紧追上。两个人，你一棒，我一刀，

zhí dǎ de tiān hūn dì àn　　jiàn jiàn de　　nà yāo guai tǐ lì bù zhī
直打得天昏地暗。渐渐地，那妖怪体力不支，

jiù zhuǎn shēn táo huí huáng gōng　jìng biàn chéng le táng sēng
就转身逃回皇宫，竟变成了唐僧。

　　jiǎ táng sēng lā zhù zhēn táng sēng zài rén qún zhōng yí zhuàn　shuí yě fēn
　　假唐僧拉住真唐僧在人群中一转，谁也分

不清哪个是真的，哪个是假的。八戒想了一个办法，他和沙僧各抓住一个唐僧，叫师父念紧箍咒，不会念的一定是妖怪。悟空明知道难受，但是为了除妖，还是答应了。于是两个唐僧分别站在两边开始念咒。

八戒发现他抓的那个唐僧只会胡乱哼哼，就断定他不是师父，举起钉耙就打。妖怪跳到空中，和追赶上来的八戒、沙僧打在一起。孙悟空忍着头痛追上天空，正准备一棒子要了他的命，这时文殊菩萨来了。

文殊菩萨取出照妖镜，那妖怪立刻露出了原形，原来是文殊菩萨骑的坐骑青毛狮子。

文殊菩萨骑着狮子走了，国王大摆宴席招待唐僧师徒。第二天，唐僧他们告别了乌鸡国国王，继续西行。

第十三回 火云洞收服红孩儿

zài yí zuò guài shí chéng duī de dà shān li　　yǒu gè huǒ yún dòng
在一座怪石成堆的大山里，有个火云洞，

dòng li zhù zhe jiào hóng hái ér de yāo guai
洞里住着叫红孩儿的妖怪。

zhè tiān　　táng sēng shī tú lái dào shān qián　　kàn jiàn yí gè qī bā
这天，唐僧师徒来到山前，看见一个七八

suì de xiǎo nán hái　　guāng zhe shēn zi diào zài shù shāo shang　　gāo shēng hǎn
岁的小男孩，光着身子吊在树梢上，高声喊：

jiù mìng　　jiù mìng
"救命，救命！"

唐僧见了，连忙让八戒救下红孩儿，并要让出自己的白马给红孩儿骑。红孩儿说自己浑身疼痛。唐僧就让悟空背着红孩儿。悟空一眼就看出来者不善，但是怕师父念紧箍咒，只好背上红孩儿就走，心里想：我倒要看看，他有多大的本事。

妖怪害怕悟空伤他，用一个假的红孩儿让悟空背，自己跳在空中。悟空气得火冒三丈，抓住假的红孩儿摔在路边的石头上。红孩儿见计谋被识破，就变成一阵旋风，刮得沙石乱飞，让人睁不开眼睛，把唐僧抓到了火云洞。

悟空叫来本地的山神，问清了红孩儿的来历和住处后，就留下沙僧看守白马和行李，带着八戒来到火云洞前，要救师父。红孩儿命令小妖们推出五辆车子，按金、木、水、火、土排好，念了个咒语，顿时五辆车上火光四起。

八戒慌忙跑到河对面。孙悟空念着避火诀，闯到火里去找妖怪。可是浓烟滚滚，烈火飞腾，什么也看不见。他便决定先去东海请龙王来下雨，浇灭这场妖火，再救师父。

四海的龙王跟着悟空来到火云洞的上空。悟空在洞门前又叫又骂，引出红孩儿，和他打了起来。打了二十个回合，红孩儿见不能取胜，又放起火来。悟空急忙念咒，通知天上的龙王，顿时，大雨倾盆，"哗哗"地下了起来。

雨虽然大，却浇不灭妖怪的三昧真火，反而像火上浇油一样，越浇越旺。悟空闯到火里寻找妖怪，却被妖怪一口浓烟喷在脸上，熏得头晕眼花，分不清东南西北，一头钻到河里。谁知被冷水一激，弄得火气攻心，竟昏了过去。

八戒、沙僧救起悟空。八戒按按这，揉揉那，好一会儿才把悟空救醒。悟空谢了四海龙王，与八戒、沙僧商量对策，八戒便自告奋勇去请观音。

红孩儿一直躲在云里寻找孙悟空，发现八戒驾着云，向南飞，想他一定是去请观音，就跑到八戒的前头，变成一个假观音。八戒果然上当了，跟着假观音来到火云洞捉拿妖怪。谁知刚到洞口，就被小妖们按倒在地，捆了起来。

悟空等了很久不见八戒回来，就在路旁变成一个花布包袱，小妖们看见花包袱，就提到了洞里。

悟空忽然听见红孩儿吩咐两个小妖去请他的父亲牛魔王来吃唐僧肉。牛魔王是孙悟空在花果山时的结拜兄弟，模样他还记得，于是，悟空摇身一变变成了牛魔王……

小妖们把牛魔王请到了火云洞。红孩儿拜见了父亲，说吃了唐僧肉，可以长生不老。牛魔王说他这几天正在吃斋，还是过几天再杀吧！这下引起了红孩儿的怀疑，他假装忘了自己的生日，牛魔王让他明天去问他的母亲铁扇公主。红孩儿认定这个牛魔王是假的，便率领小妖们举着刀枪，杀过来。悟空现出原形，用金箍棒挡住，变成一道金光飞出妖洞，直接来到南海，拜见观音。悟空把红孩儿抓走师父，冒充菩萨骗走八戒的事说了一遍。观音听了非常生气，将手中的玉净瓶丢到海里。不久，一只乌龟把净瓶托出水面，观音让悟空去拿瓶子，没想到悟空竟然拿不动。

观音告诉悟空，瓶中装着整整一海的水。她上前轻轻托起净瓶，让徒弟木叉到李天王那借来了三十六把天罡刀。观音将那些刀变成了一座千叶莲花台。观音纵身跳了上去，驾云离开了南海。悟空和木叉紧紧跟在后面。

大约离火云洞四百多里的时候，观音停了下来，叫来山神和土地，让他们把周围三百里的野兽、昆虫都安排到山顶上。等一切都办妥了，她放倒净瓶，顿时眼前成了汪洋大海。观音又从袖里拿出定身禅，变成落伽山仙境。

观音在悟空的左手心上写了个"迷"字，让他去把红孩儿引出来。

悟空张开左手心在红孩儿的脸前一晃，边打边退。红孩儿顿时着了迷，紧追不舍，一直打到观音跟前。

悟空躲到观音的背后。红孩儿找不到悟空，举枪向观音刺去。观音变成一道金光，带着悟空飞上九重天，莲花台却留在原处。红孩儿得意忘形，学着菩萨的样盘腿坐进莲花台，不料莲花台的花瓣突然不见了，竟变成一把把锋利的尖刀。

红孩儿连忙忍着疼去拔刀子。观音念了个咒语，天罡刀都变成有带倒钩儿的，拔也拔不下来。红孩儿连忙求饶，观音问他是否愿意出家，红孩儿疼痛难忍，表示愿意出家，观音就封他为善财童子，接着用手一指，天罡刀自动掉在地上，红孩儿的身体完好如初。

红孩儿野性不改，拿起火枪又要刺观音。观音扔出五个金箍儿，一个套在脖子上，其它四个套在四肢，接着观音念动咒语，疼得红孩儿在地上乱滚。

观音又用杨柳枝蘸了一点甘露洒过去，叫了声："合！"只见红孩儿双掌合在胸前，怎么使劲儿也分不开了，只好低头下拜……

悟空告别了观音，和沙僧一起救出师父和八戒，一把火把火云洞烧成灰，又跟着师父继续向西天走去。

第十四回
通天河观音现鱼篮

走了一个多月，在黑水河他们再遇磨难，唐僧和八戒被西海龙王敖顺的外甥鼍妖抓去，悟空怒找西海龙王，最后西海龙王派龙太子降伏了鼍妖。

在车迟国悟空智斗虎力大仙、鹿力大仙和羊力大仙，除掉三妖，继续西行。

不知不觉到了秋天。一天黄昏，唐僧师徒来到一条白茫茫的大河前，河边石碑上刻着"通天河"三个大字。这条河宽八百里，很少有人能够渡过。他们决定明天再想办法。

他们来到一个村庄，看见一户人家门前挂着斋戒的旗，就想进去。庄主陈清一见悟空、八戒、沙僧，吓得直喊："妖怪来了！妖怪来了！"唐僧忙说："别怕，他们是我的徒弟，长得虽然丑，但都是捉拿妖怪的能手！"

进到客厅，又见了陈清的哥哥陈澄，唐僧问他们为什么要斋戒。陈氏兄弟哭着告诉唐僧，通天河边有座灵感庙，庙里有个灵感大王，每年要吃一对童男童女。如果不献上就要发大水淹了这里。今年轮到陈家兄弟献童男童女了。

于是悟空变成陈清八岁的儿子，八戒变成

陈澄十一岁的女儿，陈氏兄弟把他们抬到灵感庙，然后摆好供品，烧完纸就回去了。

不一会儿刮来一阵狂风，从水中跳出一个妖怪，伸手要抓八戒。八戒跳下供桌，露出原形，拿起钉耙就打。只听"嘣"的一声，打下几片鱼鳞，妖怪转身跳到空中。悟空也现了原形，和八戒驾云追去。

当那妖怪知道对手是孙悟空时，慌忙变成一阵狂风，钻进了通天河。

那妖怪逃回水下的宫中，垂头丧气。一个斑衣鳜婆出了个主意："大王有呼风唤雨、降雪结冰的本领，今晚可以把通天河全部冻住，然后……"鳜婆在妖怪耳边低声说……

听说通天河冰冻了。唐僧师徒告别陈氏兄弟，踏上了通天河的冰面。

黄昏时分，那妖怪念起咒语，顿时水面上

的冰全都化了，唐僧、八戒、沙僧还有白龙马全落入水中。悟空眼快，急忙跳到天空。妖怪马上把唐僧抢到水府里去了。

八戒、沙僧捞起行李，牵着白马，念着避水咒跳出水面，和悟空会合。悟空料定师父是被妖怪抓去了，大家决定一起下水除妖去，由八戒背着悟空下水。

他们来到妖怪的住处，悟空变成一个长脚虾精婆，跳进门里，发现唐僧被关在一个石洞中，就上前安慰师父。

悟空从原路出来，叫八戒和沙僧把妖怪引出水面，自己在水上等着。八戒、沙僧引出妖怪，并打了起来。那妖怪的一对铜锤十分厉害，三人打了两个时辰，仍不分胜负。

八戒、沙僧假装战败，逃出水面，冲着悟空大喊："来了！来了！"不一会儿，妖怪果然追了出来，悟空举起金箍棒迎面就打。妖怪闪身躲过，举起双锤还击。

还没打到三个回合，妖怪招架不住了，一口气沉到水底。

89

八戒、沙僧又来到洞前。八戒几耙把门打烂，但里面都是些石头和烂泥，根本不能进去。

悟空害怕师父被妖怪吃了，连忙驾云来到落伽山找观音……

观音来到了通天河，解下腰带绑住竹篮，放入河中，口里念动咒语。不一会儿提起竹篮，只见竹篮里有一条放着光芒、活蹦乱跳的金鱼。原来，这妖怪是观音莲花池里养的金鱼，趁海水涨潮偷偷溜到这里，兴风作浪、危害百姓……

唐僧师徒又要西行了。陈家庄的人都很感谢他们。悟空正让他们准备船只，只见河中钻出一只老龟，说："为了感谢大圣赶走妖怪，我送你们师徒过河。"原来，那个水洞原来是老龟的住处，九年前被妖精霸占。于是唐僧师徒踏上了龟背……

第十五回

金兜洞老君收青牛

guò le hé lǎo guī qǐng táng sēng dào xī tiān jiàn dào rú lái fó zǔ
过了河，老龟请唐僧到西天见到如来佛祖

shí wèn yì shēng tā shén me shí hou néng gòu biàn chéng rén de mú yàng táng
时，问一声它什么时候能够变成人的模样。唐

sēng mǎn kǒu dā ying gào bié le lǎo guī jì xù xiàng xī tiān zǒu qù
僧满口答应，告别了老龟，继续向西天走去。

yì tiān tā men zǒu jìn yí zuò xiǎn jùn de gāo shān yǐn yuē kàn
一天，他们走进一座险峻的高山，隐约看

jiàn shān shang yǒu xǔ duō fáng zi yòu zǒu le yí duàn lù táng sēng dù zi
见山上有许多房子。又走了一段路，唐僧肚子

è le ràng wù kōng qù zhǎo xiē chī de wù kōng tiào dào kōng zhōng jiàn
饿了，让悟空去找些吃的。悟空跳到空中，见

shān zhōng yǒu yì tuán tuán de hēi qì jiù huí dào dì miàn yòng jīn gū bàng
山中有一团团的黑气，就回到地面，用金箍棒

zài dì shang huà le gè yuán quān ràng shī fu bā jiè shā sēng hé bái
在地上画了个圆圈，让师父、八戒、沙僧和白

mǎ dōu jìn dào quān li shuō zhè yàng yāo guai jiù bù néng shāng hài tā men le
马都进到圈里，说这样妖怪就不能伤害他们了。

táng sēng tā men zuò zài quān zi li děng de bú nài fán jiù chū lái
唐僧他们坐在圈子里等得不耐烦，就出来

le jié guǒ tā men quán dōu bèi yāo guai zhuā zǒu le wù kōng huà zhāi
了。结果他们全都被妖怪抓走了。悟空化斋

huí dào yuán chù zhǎo bú dào rén cāi xiǎng yí dìng shì bèi yāo guai zhuā zǒu
回到原处找不到人，猜想一定是被妖怪抓走

了。悟空找到了一个叫金兜洞的妖洞。

妖怪打不过悟空，就让小妖们一起上。悟空跳到山顶，把金箍棒扔到空中，变成一根巨棒向妖怪们砸去。小妖怪吓得大叫："撑天的柱子倒下来了！"那妖精一见，取出一个金钢琢儿抛向空中，套走了金箍棒。

悟空没了兵器，就来到天宫，求玉帝查问那妖怪的来历。玉帝查遍天上所有的神仙，没有查出来历。悟空请李天王、哪吒以及雷公下凡捉拿妖怪，玉帝答应了。那妖怪又拿出金钢琢儿，把满天的兵器都套走了，哪吒和雷公连忙转身逃走。悟空和李天王决定请火德星君用火来烧金钢琢儿。结果那些火龙火马、火刀火箭，连同火德星君的火器全被金钢琢套了进去，只剩下火德星君一个人可怜地站在空中。

悟空只好去西天请如来佛祖帮忙查那妖

92

怪的来历。如来命十八罗汉拿了十八粒金丹砂,和悟空一起前去捉拿妖怪,临走前又专门给降龙、伏虎两罗汉低声叮嘱了几句。不料妖怪又把那琢儿扔出,"呼"的一声,十八粒金丹砂全都不见了。神仙们见了目瞪口呆。降龙、伏虎两罗汉说,临走前如来吩咐最后可以找太上老君帮忙查那妖怪的来历。悟空就驾着筋斗云找太上老君询问,太上老君闭口不答，悟空只好闯入兜率宫中到处乱找。

忽然他发现牛栏边一个童子在打瞌睡，青牛却不见了。老君一看大吃一惊，说："难道是这个畜生下凡成妖？"急忙叫童子数一数宫中的宝贝，发现少了金钢琢儿。太上老君带上芭蕉扇，叫悟空把那妖怪引出来。那妖怪被悟空引到山峰下，忽然听到山峰上有人喊："青牛，赶快跟我回去！"妖怪一见是主人到了，吓得转身就想逃。太上老君念了一个咒语，用扇子一扇，妖怪慌忙把金钢琢儿扔出来，太上老君一把接住，又用扇子一扇，妖怪立刻浑身酸软，现了原形，原来是一头青牛。太上老君用金钢琢儿穿了那牛的鼻子，牵在手里……

各路神仙取回自己的宝器回府，太上老君骑着青牛也回离恨天兜率宫去了。唐僧师徒收拾好行李马匹，沿着西去的山路，继续西行。

第十六回 女儿国唐三藏奇遇

这一天，唐僧师徒四人来到一条清澈见底的河边，摆渡的老婆婆把他们送过河后，唐僧口渴，要八戒到河中舀了碗水喝。八戒也渴了，干脆就一头扎进河里，喝了个痛快。不料半个小时以后，唐僧和八戒的肚子疼了起来。

村里的老婆婆听悟空说了唐僧肚子疼的缘由后，竟然笑了起来，跑着喊道："看呀！有两个男的喝了子母河的水了！"原来这里是女儿国，没有男人。女人长到二十岁，就去喝子母河的水，三天后就可以生下一个女孩。

悟空费了一番周折，从解阳山聚仙庵落胎泉取来泉水让师父和八戒喝了，才没事了。

95

第二天，他们来到女儿国皇城，女王听说唐僧长得相貌堂堂，就想要让唐僧做国王，自己做王后，打发三个丑徒弟去取经。

为了换关文，他们只有用假亲脱网的计策，谁知唐僧却被琵琶洞的蝎子精抓走了。

这蝎子精连如来佛都怕几分，悟空请来了昴日星官。昴日星官站在高坡之上，把身子一摇，现出他那双冠大公鸡的原形，"咕——"高叫一声，那女妖听了身子一抖，现出了蝎子的原形。公鸡又叫了一声，那蝎子立刻死在坡前。

唐僧师徒又一把火烧了琵琶洞，继续向西天走去。

师徒四人在山里走了整整一天，天快黑时，遇到一伙强盗。

悟空把金箍棒一抡，地上立刻倒下一片。唐僧见打死了这么多人，不忍再看，骑着马向西跑去，八戒、沙僧紧紧跟着。

悟空提着强盗头子的头来见唐僧。唐僧吓得从马背上掉了下来，责怪悟空太残忍，念起紧箍咒，又要赶孙悟空回花果山。悟空苦苦哀求也没用，只好答应离开。

悟空来到落伽山，拜见了菩萨，把师父赶他走的事说了一遍。观音让他暂时留下，说唐僧不久又要有危险，会主动来找他的。

唐僧赶走孙悟空后，就让八戒弄些斋饭来吃。八戒去了很久也没回来，唐僧又让沙僧去催。沙僧走后，唐僧听见有响声，回头一看，原来是悟空捧着一个瓷钵跪在路边，请师父喝水。唐僧的气还没有消，说："我宁可渴死，也不喝你的水，你走吧！"

悟空忽然露出一副凶相，扔掉瓷钵，拿出铁棒，对着唐僧背后就是一下。唐僧立刻昏倒在地上。悟空把两个包袱提在手中，驾起筋斗云，立刻无影无踪。

八戒和沙僧回到原地，发现师父倒在地上，不省人事，两人大哭一场。很久唐僧才苏醒过来，说道："那猴子想要打死我！"他一边喝水，一边把刚才的事说了一遍。

唐僧让沙僧去花果山找孙悟空要回包袱。

沙僧驾着云整整走了三天三夜才来到花果山水帘洞。他见孙悟空在高台上坐着，正在读关文，就忍不住高声责问他，并恳求悟空回去，一起到西天取经。

谁知悟空却说要自己去西天取经，流芳百世。

沙僧说："没有师父，佛祖怎么肯把真经传授给你！"悟空当时就变出了唐僧师徒。

沙僧气坏了，举起降魔杖朝假沙僧打去，假沙僧躲闪不及，倒地而死，原来是个猴精变的。悟空立即带领小猴们把沙僧团团围住。

沙僧冲出重围，驾着云逃走，去向观音菩萨告状。

沙僧驾云来到落伽山普陀崖前拜了观音，忽然看见悟空站在观音身边，他大喝一声，举着降魔杖朝悟空脸上拍去。悟空竟然不还手，侧身躲过。观音要沙僧住手，让他把事情的经过详细地说一遍。

观音听完后，告诉沙僧悟空在这住了四天，没有离开过一步。沙僧不信，非要让悟空跟他去花果山走一趟。于是师兄弟拜别了菩萨，驾云而去。

来到花果山，悟空往水帘洞里一看，果然发现一个悟空坐在石台上，和猴子们喝酒玩乐，长得和自己一模一样。悟空大吼一声，拿出金箍棒上前骂道："哪里来的妖怪，竟敢变成我的样子！"那个悟空也不回答，拿出一根铁棒，跟悟空打了起来，一时真假难分！

悟空让沙僧回去告诉师父，自己和假的悟空边打边走，来到南海，请观音分辨真假。观音和神仙们看了很久也分辨不出来，观音偷偷念动咒语，谁知两个悟空一齐喊头痛。观音说："当年你大闹天宫，神将们都认得你，你就到天上去分辨吧！"两个悟空一齐叩头谢恩。

两个悟空来到天上，神仙们看了很久，也不能分辨，于是来见玉帝。玉帝传令让托塔李天王把照妖镜拿来，把他们照住，再来分辨。谁知镜中竟然有两个孙悟空的影子，头上的金箍，身上的衣服一分一毫都不差。

两个悟空打着出了西门，嚷着去见师父，

这时沙僧早已返回，把所见所闻向唐僧详细说了一遍，唐僧这才明白，是自己错怪了悟空。

他们又打到阎王面前分辨真假。判官把生死簿查了一遍，仍然分辨不出。这时地藏王菩萨说："让我叫谛听来分辨真假。"

谛听是地藏王菩萨经案下卧着的一个小兽，可以知道世间发生的一切事情。谛听趴在地上听了一会儿，对地藏王菩萨说："虽然知道哪个是妖怪，但不能当面讲出来，也不能帮忙抓住妖怪。"

谛听告诉地藏王，这个妖怪的本领和悟空一样，如果当面讲出来，妖怪一定会骚扰宝殿，让地府不安。地藏王听了就对两个悟空说："想要分辨真假，还得到雷音寺。"于是两个悟空离开了阴间，腾云驾雾，边走边打，来到西天雷音寺。

宝莲台下，如来佛祖笑着说："我看假悟空是一只六耳猕猴。"假悟空见如来佛祖说出了他的来历，胆战心惊，转身想跑。

神仙们见他要逃，一齐围上来。猕猴吓得浑身发软，变成一只蜜蜂，往上就飞。如来佛祖把金钵盂扔出，正好盖住蜜蜂，落了下来。

大家上前揭开钵盂，真的是一只六耳猕猴。悟空忍不住，抢棒一棒打死。如来觉得可惜，连声说："善哉！善哉！"接着，又让观音陪悟空去见唐僧，要唐僧收留悟空……

观音对唐僧说："你这一路上危险重重，只有悟空保护你才能到达西天。"唐僧刚刚拜谢了观音，八戒也从花果山取包袱回来了，告诉大家他已经把假唐僧和假八戒打死了。

第十八回 孙悟空三调芭蕉扇

唐僧师徒继续赶路。一路上平安无事，不知不觉一年又过去了。这天，他们来到了火焰山，山上八百里火焰，无人能过。

有个庄主告诉他们，西南方一千里处有个翠云山芭蕉洞，洞主铁扇公主有把芭蕉扇，扇一下火就灭了，扇两下则刮风，扇三下即下雨

zhè lǐ de lǎo bǎi xìng měi gé shí nián bài qiú tā yí cì，qǐng tā shī fǎ
这里的老百姓每隔十年拜求她一次，请她施法

jiàng yǔ cái néng zhòng xiē liáng shi hú kǒu
降雨才能种些粮食糊口。

wù kōng jià yún lái dào cuì yún shān，yí wèi qiáo fū gào su wù kōng
悟空驾云来到翠云山，一位樵夫告诉悟空

shuō wǒ men zhè lǐ de rén bǎ tiě shàn gōng zhǔ jiào luó chà nǚ tā
说："我们这里的人把铁扇公主叫罗刹女，她

shì niú mó wáng de qī zi 。 wù kōng yì tīng，xīn xiǎng huài le
是牛魔王的妻子。"悟空一听，心想："坏了，

dāng nián wǒ shōu fú tā de ér zi hóng hái ér，xiàn zài tā kěn jiè shàn zi
当年我收服她的儿子红孩儿，现在她肯借扇子

gěi wǒ ma
给我吗？"

wù kōng guǒ rán cāi duì le， luó chà nǚ tīng shuō sūn wù kōng lái
悟空果然猜对了，罗刹女听说孙悟空来

le，lì jí ná zhe qīng fēng bǎo jiàn，zǒu chū dòng mén jiào dào sūn wù
了，立即拿着青锋宝剑，走出洞门叫道："孙悟

kōng zài shén me dì fang 悟 wù kōng lián máng shàng qián xíng lǐ shuō sǎo
空在什么地方？"悟空连忙上前行礼说："嫂

sǎo， wǒ shì niú mó wáng dāng nián zài huā guǒ shān jié bài de xiōng dì
嫂，我是牛魔王当年在花果山结拜的兄弟。"

luó chà nǚ yì tīng zhè huà gèng shēng qì， zhǐ zhe sūn wù kōng jiù mà
罗刹女一听这话更生气，指着孙悟空就骂……

wù kōng wèi le jiè dào bǎo shàn， jiù ràng luó chà nǚ zài tóu shang lián
悟空为了借到宝扇，就让罗刹女在头上连

kǎn le shí jǐ xià yě bù huán shǒu。 luó chà nǚ jiàn yì diǎn yě shāng bú
砍了十几下也不还手。罗刹女见一点也伤不

dào tā， xià de niǔ tóu jiù zǒu。wù kōng jiàn luó chà nǚ bù kěn jiè bǎo
到他，吓得扭头就走。悟空见罗刹女不肯借宝

shàn， jiù cóng ěr duo zhōng tāo chū jīn gū bàng， lán zhù tā de qù lù，
扇，就从耳朵中掏出金箍棒，拦住她的去路，

两个人在翠云山上打了起来。

罗刹女和悟空一直打到晚上，见悟空越打越有劲，知道不是他的对手，就取出芭蕉扇一扇，立刻一阵狂风，把悟空吹得一个跟头接一个跟头地翻了一夜，直到天亮，总算抱住一块峰石，落到小须弥山上。悟空想起灵吉菩萨就住在这里，决定去向他请教。

灵吉菩萨把当年如来佛送给他的定风丹转送给悟空。悟空把定风丹放在怀里，驾着云回到翠云山，又来找罗刹女借扇子。罗刹女还是不肯借，和悟空打了几回后觉得没有劲了，又拿出扇子朝悟空用力扇去，这回悟空竟然没有动。

罗刹女又连扇了两下，见悟空仍然不动，不由得有点心慌，连忙收起宝贝逃回洞里，关上洞门不肯出来。悟空没有办法，就把定风丹含在口中，摇身变只小虫，从石缝钻进洞里。

刚好听见罗刹女在喊："渴死了，快端点茶来。"

悟空一听有了主意，展翅飞到茶里，趁罗刹女张嘴喝茶的时候，钻到她肚子里叫道："嫂嫂，快点把扇子借给我！"说完在罗刹女肚子里连踢带打，痛得罗刹女面色苍白，哭天喊地，在地上乱滚，嘴里叫着："孙叔叔饶命。"

直到罗刹女答应借扇子，悟空才停下来。

悟空又怕罗刹女变卦，一定要看看扇子才肯出来。罗刹女连忙叫女童拿出了一把芭蕉扇给悟空看，悟空一见，就飞了出来，落在扇子上。

悟空趁罗刹女不注意，现出原形，拿着扇子，离开了芭蕉洞。

悟空举着芭蕉扇来到火焰山边，用力一扇，见火苗乱窜；再扇一下，火势反而比原来猛了很多；又一扇，那火比小山都高。幸亏悟

108

空跑得快，要不，猴毛都要烧光了。

这时候，土地爷走过来告诉悟空，这扇子是假的，要想借到真扇子，就得找牛魔王；而这座火焰山，是当年悟空大闹天宫时，踢倒太上老君的丹炉，落下的几块火砖。

悟空按照土地爷说的，到积雷山摩云洞找牛魔王。

牛魔王一见是收走他儿子的孙悟空，不由

得怒上心头,拿着混铁棍劈头就打。悟空举起金箍棒迎上去,两人你来我往,打了一百多回合不分胜负,一直到有人喊牛魔王去赴宴,他才收棍回洞。

牛魔王换下盔甲,骑着辟水金睛兽,驾着云向西北方向去了。悟空变成一阵清风跟到一个水潭前,牛魔王突然踪影全无。悟空就变成一只螃蟹,跳到水里去找。

原来,老龙精在设宴请客。悟空见那只辟水金睛兽拴在宫外的石柱上,就偷偷解下来,变成牛魔王骑上它,到罗刹女那里去骗芭蕉扇。

罗刹女已经两年没有看见丈夫了,所以特别高兴,一点也不怀疑。悟空故意说是怕罗刹女把芭蕉扇借给了仇人,并叮嘱她把扇子藏好。罗刹女笑着说:"我把它藏在嘴里,那猴子怎么能偷到呢?"说着,从嘴里吐出一柄杏

110

叶大小的扇子递给悟空。

悟空接过扇子问："这么小的扇子，怎么能扇灭八百里的火焰呢？"罗刹女埋怨丈夫不该把自家宝贝的威力都忘了。一边埋怨着，一边把扇子变大的咒语说了一遍。悟空记在心里，把扇子放在口中，变回原来的样子，拔腿就往外跑。

悟空出了洞，把口诀念了一遍，扇子果真越变越大，可是，他不知道把扇子变小的口诀，只好把一柄大大的芭蕉扇扛在肩上，按原路回去了。再说牛魔王吃完酒宴出来，找不到辟水金睛兽，猜想是悟空偷去了，便驾着黄云直奔翠云山。但是已经晚了，芭蕉扇早就被孙悟空骗走了。

牛魔王气得七窍生烟，便想了一计，变成猪八戒去向悟空要扇子。悟空因为拿到了宝

111

扇，心中十分高兴，一点也没有怀疑，就把扇子交给了假八戒，让他扛着。

假八戒接过芭蕉扇，心中暗喜，默念口诀，把扇子变小藏好，变回原来的样子。

悟空一看，发现上当，挥动铁棒，劈头就打。牛魔王拔剑相迎，两人从地面杀到空中，杀得难解难分。

唐僧从土地神口中得知牛魔王也

有七十二般变化，就叫八戒去助悟空一臂之力。

牛魔王和悟空打了半天，筋疲力尽。突然八戒杀来，钉耙又凶又狂，牛魔王再也招架不住，边打边向积雷山摩云洞退去……悟空和八戒、土地神一起冲到摩云洞口，把洞门砸碎。

牛魔王急忙出洞迎战，尽管他奋勇招架，仍然挡不住铁棒和钉耙，忙摇身变只白鹤展翅飞去。悟空也变成一只丹凤追了过去。凤是鸟中之王，牛魔王没有办法，只好飞下山崖，又变成一只香獐。

悟空立刻变成饿虎来捉香獐；牛魔王则变个狮子来擒饿虎；悟空就地一滚，变成巨象，甩动着长鼻子去卷狮子；牛魔王一见，现出原身，原来是头大白牛，两只牛角像塔一样，身高八千多丈，对悟空说："你还能把我怎么样？"

悟空叫声："长！"立刻身高万丈，手拿大

铁棒，朝牛魔王打去。他俩斗法，惊动了天上的神仙，众仙纷纷下界来帮助悟空。牛魔王见形势不妙，恢复原样，转身向芭蕉洞跑去，众仙追过去，把他围住。

牛魔王见被围住，又变成大白牛，用铁角朝李天王顶去。哪吒眼明手快，甩出风火轮挂在牛角上，吹起真火，痛得牛魔王乱叫。李天王乘机用照妖镜照住，牛魔王再也不能动弹了，只好俯首归顺，答应献出宝扇。

罗刹女无奈只好献扇灭火，并告诉悟空只要连扇七七四十九扇，就可断绝火根。

众神见罗刹女献出宝扇，就牵着老牛回天上复命去了。悟空来到火焰山前，连扇了四十九扇，顿时，山上火灭风起，满天下起蒙蒙细雨，凉风习习。

灭了大火，悟空把宝扇还给了罗刹女……

第十九回 小雷音弥勒擒黄眉

táng sēng shī tú fān shān yuè lǐng jì xù xī xíng   zài jì sài guó
唐僧师徒翻山越岭继续西行。在祭赛国

de jīn guāng sì   tā men zhuī huí bèi yāo guai tōu zǒu de shè lì fó bǎo
的金光寺，他们追回被妖怪偷走的舍利佛宝，

wèi tǎ sì sēng rén píng fǎn zhāo xuě
为塔寺僧人平反昭雪。

xī xíng de lù què shí jiān xiǎn   yì tiān   tā men kàn jiàn yún wù
西行的路确实艰险。一天，他们看见云雾

zhōng ruò yǐn ruò xiàn yí zuò lóu tái diàn gé   hái chuán lái qiāo zhōng jī
中若隐若现一座楼台殿阁，还传来敲钟击

qìng de shēng yīn
磬的声音。

tā men xún shēng lái dào yí zuò miào
他们循声来到一座庙

yǔ qián   wù kōng zǐ xì
宇前。悟空仔细

一看，见禅光中夹着凶气，便断定这不是个好地方。

唐僧不信，骑马来到山门前面，见树枝浓荫掩映的墙上露出"雷音寺"三个字。唐僧以为到了仙界，立即下马就拜。

悟空要师父仔细看看，唐僧这才看清上面写着"小雷音寺"四个字。唐僧要进庙参拜，悟空极力劝阻，说进去凶多吉少。

唐僧不听，和八戒、沙僧一步一拜进了大殿。这时，悟空火眼金睛看出寺里的如来佛竟是妖怪变的，心中一惊，举起棒就打。

突然，半空中降下一副铙钹，把悟空夹在中间。八戒、沙僧见状忙拿兵器，没想到那些假神佛全部现出妖怪嘴脸，一齐围了上来，把唐僧、八戒和沙僧全都绑了起来。

116

原来，那假如来是个披头散发的黄眉老妖怪。

黄眉怪把金铙放在莲花台上，说三天三夜后悟空就要化成浓血，然后就和众妖们睡觉去了。悟空在金铙里左冲右撞，怎么也找不出一点缝来，就把金箍棒变得又长又粗，支住金铙，拔根毫毛变成梅花钻，可是钻来钻去连个小孔也钻不出来。

悟空念咒语，叫来了五方揭谛、护法伽蓝等神仙，让他们想办法弄开金铙。可是各位神仙掀了半天也掀不动。玉帝也派二十八宿下凡降妖。

二十八宿对着金铙斧劈刀砍，忙到半夜，仍然没有用。亢金龙把身体变小，龙角尖就像针尖一样，顺着铙的合缝口，硬穿进去，然后把身体和角一块变大，使角长成跟碗口一样粗，可是那铙口好像跟角长在一块儿一样，没

yǒu yì diǎn fèng xì
有一点缝隙。

wù kōng ràng ràng jīn lóng rěn zhe tòng tā zài lǐ miàn bǎ jīn gū bàng
悟空让亢金龙忍着痛，他在里面把金箍棒

biàn chéng xì gāng zuàn zài kàng jīn lóng de jiǎo jiān shang zuàn yí gè dòng rán
变成细钢钻，在亢金龙的角尖上钻一个洞，然

hòu zì jǐ biàn xiǎo duǒ jìn dòng li kàng jīn lóng shǐ chū quán shēn lì qi
后自己变小，躲进洞里。亢金龙使出全身力气

cái bǎ jiǎo bá chū lái lèi de tā jīn pí lì jìn wù kōng zhōng yú cóng
才把角拔出来，累得他筋疲力尽，悟空终于从

jīn náo li chū lái le
金铙里出来了。

wù kōng biàn huí yuán shēn ná qǐ jīn gū bàng bǎ náo bó dǎ de fěn
悟空变回原身，拿起金箍棒把铙钹打得粉

suì huáng méi guài bèi xiǎng shēng jīng xǐng dài xiǎo yāo guai wéi le shàng lái
碎。黄眉怪被响声惊醒，带小妖怪围了上来。

wù kōng dài lǐng èr shí bā xiù hé zhòng shén jià yún tiào dào kōng zhōng
悟空带领二十八宿和众神驾云跳到空中，

huáng méi guài wǔ dòng láng yá bàng zhuī shàng lái hé wù kōng zài kōng zhōng dǎ
黄眉怪舞动狼牙棒追上来，和悟空在空中打

le qǐ lái
了起来。

èr shí bā xīng xiù gè jǔ bīng qì bǎ huáng méi guài tuán tuán wéi
二十八星宿各举兵器，把黄眉怪团团围

zhù tū rán huáng méi guài cóng yāo shang chě xia yí gè bù kǒu dai xiàng kōng
住。突然，黄眉怪从腰上扯下一个布口袋向空

zhōng yì pāo zhǐ tīng jiàn huā de yì shēng bǎ wù kōng hé èr shí bā
中一抛，只听见"哗"的一声，把悟空和二十八

xīng xiù wǔ fāng jiē dì děng shén xiān tǒng tǒng zhuāng le jìn qù
星宿、五方揭谛等神仙统统装了进去。

huáng méi guài shèng lì ér guī yè li wù kōng chèn kān shǒu de xiǎo
黄眉怪胜利而归。夜里，悟空趁看守的小

118

妖怪在打瞌睡，摆脱绳索，为众神松了绑，然后找到师父和师弟，给他们解开绳子。众神拥着唐僧，用法术刮起一阵狂风，飞过墙离去。

黄眉怪领着小妖怪追了出来，众神仙和八戒、沙僧一拥而上，挡住黄眉怪。

悟空发现黄眉怪正伸手在腰里扯布袋，便高喊一声："大家快逃！"又一个筋斗跳上高空。众神仙和唐僧师徒来不及躲闪，全部被黄眉怪的口袋收了回去。

悟空怕玉帝怪罪，就来到武当山，请北方荡魔天尊相救。荡魔天尊便派龟、蛇二将和五大神龙跟随悟空前往小雷音寺，解救唐僧。

五大神龙翻云降雨，龟、蛇二将播土扬沙，悟空挥棒紧跟在后。黄眉怪见来势凶猛，又解下布袋……

五大神龙、龟、蛇二将又被装进了口袋，

悟空没辙，又请小张太子率领四大神将和黄眉怪交战。结果小张太子和四大神将也都被装进了袋中。悟空站在西山坡上，十分懊恼。

这时，一朵彩云从西南方飘来，弥勒佛来了。

原来黄眉怪是弥勒佛跟前敲磬的一个黄眉童子，前几天趁弥勒佛赴元始会的机会，偷走了弥勒佛的后天袋，逃到这兴妖作怪。弥勒佛与悟空定计擒拿黄眉怪。

悟空又一次来到小雷音寺挑战。黄眉怪见悟空一个人，就出来应战。两人打了几个回合，悟空假败逃走，引诱黄眉怪来到西山坡下的瓜田里，悟空就地一滚变成西瓜，混在真瓜里。

黄眉怪追过来找不到悟空，见满地的西瓜，就叫瓜农摘个熟瓜给他解渴。那瓜农是弥勒佛变的，他把悟空变的西瓜摘了递过去。那

妖怪接过瓜张口就咬，悟空乘机钻入他的肚子里。

悟空在妖怪肚子里抓肠顶胃，拳打脚踢，疼得那黄眉怪龇牙咧嘴，眼泪直流，在瓜地里滚来滚去。这时，弥勒佛变回原相，黄眉怪见了慌忙跪下哀求："主人啊！饶命，我再也不敢了！"

弥勒佛上去解下后天袋，取了敲磬槌，然后叫悟空饶他一命。悟空叫黄眉怪张开嘴，一跃而出，变回原样，举起金箍棒就打。弥勒佛劝住悟空，问那妖怪金铙在什么地方。那妖怪说："金铙被悟空打碎了，现堆放在殿上。"

弥勒佛把妖怪装进袋里，系在腰上，然后和悟空一起来到小雷音寺。庙里的小妖见老妖怪给捉住了，正想逃走，悟空抡起金箍棒一阵乱打，把它们全部消灭了。

弥勒佛将金铙的碎片收在一堆，吹口仙气，念了声咒语，金铙立即恢复了原样。

悟空到后院救出师父、师弟和众神仙，然后放了一把火，把假雷音寺烧成了灰烬。

第二十回

盘丝洞棒打蜘蛛精

tángsēng shī tú zhè tiān lái dào yí zuò zhuāngyuàn qián tángsēng zǒu
唐僧师徒这天来到一座庄院前。唐僧走

jìn yuàn zi qù huà zhāi   zhǐ jiàn chuāngqián yǒu sì gè nǚ de zhèng zài xiù
进院子去化斋，只见窗前有四个女的正在绣

huā wū hòu yǒu sān gè nǚ de zhèng zài tī qiú tángsēng jué de yǒu xiē
花，屋后有三个女的正在踢球。唐僧觉得有些

bù fāng biàn dàn hái shi yìng zhe tóu pí hǎn le shēng nǚ pú sà   shuō
不方便，但还是硬着头皮喊了声"女菩萨"，说

míng le lái yì bú liào nà xiē nǚ zǐ yì tīng
明了来意。不料那些女子一听，

就放下针线，扔了皮球，一拥而上，把唐僧拉进了一座冷气森森的石洞。女子们把唐僧吊在梁上，又从口中吐出丝线，织成一张大网，把庄门封了起来。

悟空等了很久不见师父回来，就跳上大树观看，只见庄院放出异样的白光，知道师父遇到了妖怪。他来到庄门前，却发现庄门被丝线缠得密密实实，也不知道有几百几千层，用手一摸，粘糊糊的，不知道是什么东西。

悟空叫来本地的土地神，这才知道这里叫盘丝洞，洞里住着七个女妖，都是蜘蛛精。八戒听说这次是打女妖精，提着钉耙闯到洞中。

女妖们正玩得高兴，猛地看见一个又黑又胖的和尚闯进来，又羞又怕，一齐吐出丝线把八戒的手脚缠起来。八戒使劲挣扎，连摔了几个跟头，最后倒在地上爬不起来了。女妖们嘻

124

嘻哈哈地转眼就不见了。

等到八戒清醒过来，缠他的丝线早就已经不见了。他连忙跑回原处，把发生的事给悟空和沙僧说了一遍。三个人又杀进盘丝洞。

小妖们马上变成成千上万只蚂蜂、牛蟒向悟空、八戒、沙僧咬去。八戒和沙僧举着袖子拼命扑打，大喊救命。悟空拔下来一把毫毛，变成无数只老鹰吃那些虫子。一会儿小虫被老鹰吃完了，悟空收回毫毛，和八戒、沙僧杀入洞里，找到唐僧，把他从梁上救下来，然后又在洞里寻找女妖，不料她们已经无影无踪。于是他们一把火烧了盘丝洞，继续向西天走去。

没走多远，路过一处庄院，门前写着"黄花观"。唐僧口渴，师徒四人就进观里去讨一杯水喝。谁知这观中的老道是盘丝洞七女妖的师兄，女妖们早就到这来求救了，唐僧师徒

125

这次是自己送上门去。老道让童子把下了毒药的茶水献上。唐僧、八戒和沙僧都渴极了，一口气把茶喝光。悟空眼尖，看见老道嘴角露出一丝旁人难以察觉的狞笑，假装喝下去。不一会儿，唐僧、八戒、沙僧一个个都昏倒在地。

悟空拿出金箍棒问老道为什么要这样做。

老道冷笑道："你们毁了我师妹的盘丝洞，现在休想逃出我的手心！"说完拔剑就砍，七个女妖也一齐给老道助战。悟空力战群妖，越打越勇猛。女妖看情况不妙，吐出丝线在悟空上方织成一个大网。

悟空见状，一个筋斗冲破大网跳到空中，拔下一把毫毛，变成无数个悟空，每人拿一根双角叉棒，向丝网乱打。一会儿丝网全被打烂了，从里面拖出来七只大蜘蛛，一个个缩成一团，浑身发抖，直喊："饶命！饶命！"

悟空命令老道交出解药救醒师父和师弟，不然就打死这些蜘蛛精。女妖也连忙求老道快拿出解药，可老道却说要吃唐僧肉。悟空听了以后大怒，骂道："既然你不肯拿出解药，那就看看你师妹们的下场！"说着挥动铁棒，把蜘蛛精全部打死。

老道一看不是悟空的对手，就脱去衣服，把两只胳膊抬起，两肋下露出一千只眼睛，一齐放出金光，紧紧照住悟空。悟空被照得头昏眼花，左逃右窜都躲不开，心中一急，钻到地下，在土中走了二十多里，才保住了性命。悟空钻出地面，只觉得浑身疼痛，身上一点劲儿也没有，想起无法营救师父师弟，不由得哭了起来。这时来了一位神仙指点说紫云山千花洞有位菩萨叫毗蓝婆，能够收服这妖怪。悟空驾筋斗云来到紫云山千花洞，请到毗蓝婆菩萨帮助降妖。

老道见悟空又来了，就又念起咒语，眼里放出金光。这时躲在云中的毗蓝婆菩萨取出一根绣花针扔到空中，只听一声巨响，破了金光。毗蓝婆按下云头，和悟空走进黄花观，见那老道已经现了原形，原来是只蜈蚣精。悟空想一棒打死他，毗蓝婆让他住手，先去救师父……

毗蓝婆收了蜈蚣精，驾云回山去了。悟空一把火烧了黄花观。师徒四人收拾好行李，又踏上了西行的道路。

第二十一回 比丘国降妖救群童

唐僧师徒来到了比丘国。悟空见城中屋子的门前都有个用绸缎罩着的鹅笼，就变成蜜蜂钻到一个笼子里，见里面竟是个小男孩。原来比丘国王受白鹿精变成的国丈迷惑，欲用一千一百一十一个小儿的心肝做药引治病。

悟空解救了小男孩。妖怪抢起蟠龙拐杖来打悟空。悟空把妖道引出洞府，八戒立即举起钉耙就打。妖道见打不过他俩，就逃走了。

悟空和八戒紧追不放。这时，南极寿星赶来说："二位且慢，这妖怪是我的坐骑，就饶它一命吧！"寿星使妖怪现出了原形，原来是只梅花鹿……

第二十二回 天竺国招亲逢玉兔

唐僧师徒又走了半个月。一天傍晚，他们正准备投宿，就看见前面有一座大寺院，山门上写着斗大的几个金字："布金禅寺"。

山门下面挤满了挑担的、推车的、背包的各种行人。唐僧师徒来到金刚殿前。一位老和尚从里面走出来迎接。

唐僧问老和尚："为什么山门前有那么多的客商？"老和尚回答说："在前面的百脚山下，有一座鸡鸣关，这几年经常有蜈蚣出现，挡在路上咬伤行人。只有在天亮鸡叫的时候，蜈蚣躲开了，行人才敢过关。"这时老和尚便邀四人先吃斋饭。

斋饭用毕，上弦月升起来了，院主就建议唐僧去看看曾经请佛讲经的地方，唐僧和孙悟空很高兴地同意了。院主就让小和尚打开后门，三个人走了进去。

走到石台上，唐僧觉得有些累了，就坐下来休息。忽然听见一阵女子的哭声。唐僧问："是什么人在哭？"院主让小和尚到门外站着，然后对着唐僧跪下去。唐僧赶忙搀起他，问："老院主为什么要行此大礼？"院主这时才说明了事情的原因。

去年这天的晚上，老院主忽然听到一阵风响，接着就又传来了一阵伤心的哭声。于是老院主找到后院，看见门外面坐着一个女子，就问她的来历。那个女子说："我是天竺国的公主，正在月下赏花时，被风吹到这儿来了。"院主分不清真假，就把她锁到一间空房里。

131

院主又怕少女在寺院中有些不方便，就把空房用砖头砌死，只留下一个能递饭进去的小洞……院主进城打听了几次，都说公主在宫中，并没有走失。

院主讲到这里，就又对唐僧拜倒，说："如今幸好禅师来到这个地方，希望能见到国王讲明情况，救助善良的好人。"唐僧和孙悟空都表示愿意做这件事。

第二天鸡叫的时候，山门下的客商们开始忙着点灯做饭。唐僧师徒也连忙起床收拾他们的行李。吃完早饭，跟寺里的和尚道了谢就告辞上路了。他们和客商一起到了鸡鸣关前。这时天快亮了，可是大家依然觉得冷风袭人，阴气不散，让人感到胆战心惊。

他们走进天竺国皇城，驿馆的人告诉他们说："今天公主在十字街头抛绣球招驸马，国王还在宫殿之上等着，没有退朝呢！"

孙悟空陪着唐僧一起到宫殿上换关文。

出了驿馆，只见大街小巷全都挤满了人，吵吵闹闹地去看公主抛绣球。孙悟空要跟着去看，唐僧不肯，悟空就说："到彩楼就能看见公主，就可以分辨出真假了。况且皇帝等着公主的喜报，又怎么肯理会朝中的事情呢？"

唐僧这才答应了。两人随着人潮挤到彩

133

楼的前面。原来这个公主是妖精变的，她知道唐僧取经一定会经过天竺国，所以就用法术赶走了真公主，又假说她要抛绣球招驸马。其实她是想趁着和唐僧成亲时，取走唐僧身体里的纯阳真气，练道成仙。

假公主见唐僧来到彩楼下，就把绣球一抛，不偏不斜正好落在唐僧的头上。楼上的宫女都喊："打着和尚了！"

唐僧埋怨悟空不应该捉弄自己。悟空贴在唐僧的耳朵上悄悄说了几句话，最后说："这招叫做依婚降妖计。你只要让国王召徒弟们入宫，到时我自然有办法。"

唐僧被宫女、太监们拥上了宫殿，连忙把自己的来历告诉了国王，请求国王给他倒换关文，放他去西天取经。国王本来也想放了唐僧，可是假公主就是不答应。国王只好传下

圣旨，选择一个好日子，给公主和唐僧两人举行结婚大典。

唐僧没有办法，想起了孙悟空的话，就叩头奏明国王："我的三个徒弟还在驿馆，希望陛下把他们叫来，倒换了关文，我再嘱咐他们几句话，让他们早点去取经。"国王同意了唐僧的启奏，马上就命令内侍去叫孙悟空他们三人上殿。

过了一会儿，孙悟空、猪八戒、沙僧来到了金殿上。国王看他们三个人相貌丑陋，心里

很害怕，壮着胆子让他们报清来历。三个人报出齐天大圣、天蓬元帅、卷帘将军的来历后，国王慌忙从龙床上下来，连声称呼他们是神仙亲眷。国王命令打扫干净御花园的亭台楼阁，请驸马和三位高徒去休息。

结婚的日子很快就到了，国王满心欢喜。可是假公主害怕在婚礼上见到孙悟空，识破她的原形，就说害怕他们长得丑陋，让国王打发他们走。

国王只好对孙悟空他们说："把你们的关文拿上来，我把关印盖好交给你们，而且我还准备了许多路费，送你们早点上路去灵山参见真佛。"

孙悟空不要那些金银，只是拿过了关文，转身就要走，吓得唐僧赶紧拉住孙悟空。孙悟空捏着师父的手掌，又使了一个眼色。

悟空和猪八戒、沙僧来到了驿馆，对他们

说："你们两个在这等着，既不要出去，也不要

和我说话，我去保护师父了。"说完拔了根毫

毛变个假悟空留在驿馆，而他自己变作了一只

蜜蜂，"嗡嗡"地飞回到金殿去找师父了。

孙悟空落到唐僧的帽檐上面，轻轻地说：

"师父，我回来了。"唐僧听到后，松了口气。

过了没多久，国王高兴地带着驸马一起去公主

的住处，让唐僧和公主两人见见面。孙悟空叮

在唐僧的帽檐上，也跟着进到里面。

孙悟空看见公主头顶上微微露着妖气，

但不是那么凶恶，就飞近唐僧耳边，小声说：

"师父，这公主是假的，等我现身出来捉住这

个妖精。"唐僧赶忙说："千万不要吓坏了国

王和王后。"

孙悟空当然听不进去，他大喊了一声，现

137

出了原样，抓住假公主大声地骂："妖怪！你在这里弄假成真地享受荣华富贵，还不知道满足，竟然想要欺骗我师父，要破坏他的纯阳真气！"顿时，国王、后妃、宫女们被吓得又哭又叫，东躲西藏，乱成一团。

妖精一看已经被孙悟空识破了，就挣脱了孙悟空的手，扔下身上的饰物，拿出了一根短棒子来打孙悟空。两个人从地上一直打到空中，吓得全城百姓、文武百官们胆战心惊。

孙悟空和妖精打斗了半天也分不出胜负，就把金箍棒扔了起来，叫了一声"变"，金箍棒一变十，十变百，百变千，在半空中好像蟒蛇一样在不停地游滚，围着妖精乱打。妖精这下手忙脚乱了，她变成一道清风向九重云霄逃去。

孙悟空的筋斗云比妖精还快，他赶到妖精的前面挡住她的去路。妖精又与孙悟空打到了一起,他们打斗了十几个回合。妖精想溜,就一晃身,变成一道金光,朝正南方向逃走了。

孙悟空追到一座大山前面,妖精收住了金光,不见了。

孙悟空害怕妖精脱身后又回到天竺国去伤害师父,就看清了这座山的形状,驾着云又返回了天竺国,降落到皇宫里。他看见师父安然无恙,就回到驿馆叫来了猪八戒和沙僧,要他们好好保护师父,然后又一个筋斗云回到山里寻找妖精去了。

孙悟空来到那座大山前面,找

了好一会儿也没有找到妖精的踪迹，就叫来了土地、山神，问他们山上有没有妖精。两位神仙告诉悟空这是毛颖山，山上只有三个兔子洞，没有妖精。孙悟空就让两位神仙带他到三个兔子洞那儿去找找。

他们一直走到山顶，发现了一个大洞，两块大石头把洞门堵住了。孙悟空取出了金箍棒砸碎了堵在门口的石头，一看，妖精果然藏在洞里。那个妖精猛地跳了出来，一边和孙悟空打一边骂土地和山神说："死老头子，谁让你们带他来的？一会儿我再找你们算账。"

他们又打了十几个回合，那个妖精支撑不住了，孙悟空挥棒正要往下打，突然听到九重云霄上有人大声喊："大圣，请棒下留情，别打死她。"孙悟空回头一看，原来是太阴星君和嫦娥仙子来了。原来这个妖精竟是广寒宫里捣仙药的玉兔。

太阴星君告诉孙悟空说天竺国的公主原先是月宫中的一名素娥，因为想念凡尘就下界投生。她曾经打过玉兔一掌，玉兔记仇，去年把素娥抛到荒野受苦。

孙悟空说："饶了她可以，可是你要让她现出原形，到天竺国让国王看看。"太阴星君当时就用手朝玉兔一指，玉兔就显出了原形。

孙悟空非常高兴，带着太阴星君、嫦娥仙子和

141

嫦娥仙子收玉兔

玉兔一齐乘着皎洁的星月，驾着五彩祥云，朝天竺国去了。

国王和唐僧他们都在御花园里等着孙悟空捉妖回来，忽然抬头看见正南天上有一片美丽的彩霞，又听见孙悟空在空中大声喊："天竺国王陛下，你们都来看看，这两位神仙是太阴星君和嫦娥仙子，这个玉兔就是赶跑真公主后变的假公主。"

大家看见了都赶忙对着夜空跪倒叩拜。孙悟空降落了云头，回到金殿前面。太阴星君、嫦娥仙子带着玉兔回月宫去了。国王非常感谢悟空："那我的真公主现在在哪呢？"

孙悟空说："真公主现在在布金禅寺里……"

第二天一早，院主打开门，让公主和她的父母相见。国王先感谢了唐僧师徒的救命之恩，又谢了院主供养之情，封院主做报国僧官，传旨重修寺院。

国王回到宫殿以后，摆设宴席感谢唐僧师徒，还要为他们画像供奉。孙悟空说："嗨，不用了，布金寺的百脚山里最近有一些蜈蚣挡在路上伤人，国王如果能选一千只公鸡放到山上，吃了蜈蚣，方便商客，这不比画像供奉强上百倍吗？"

国王非常高兴，当时就下旨选了一千只大公鸡放到山里。那些蜈蚣一见到公鸡，全都成了直棍，任鸡啄吃。只一天时间，百脚山的大小蜈蚣全被公鸡吃光了。国王将百脚山改为宝华山。

第二天，国王叫来画师，画下了唐僧师徒的容貌，供奉在华夷阁上。又叫公主穿戴整齐，出来拜谢唐僧师徒的救难之恩。唐僧师徒告辞了国王又向西天取经去了。

144

第二十三回
雷音寺如来赐真经

唐僧师徒又走了六、七天，忽然看见前面高楼耸立，云阁冲天。楼阁前，一个道童站在山门口问："来者可是东土取经人？"

悟空认出他是灵山脚下玉贞观的金顶大仙，忙告诉师父。唐僧上前行礼后，大仙领唐僧师徒进了观，又叫小童烧香汤给唐僧沐浴，说这样才好登上佛地。第二天，唐僧换上锦襕袈裟，手拿九环禅杖，拜辞了大仙，大仙将唐僧引上法门。

唐僧师徒往前走了五六里，看见一条大江波浪翻滚，约有八九里宽，既没有人，也没有船，唐僧又惊又愁。悟空见远处有座桥，就拉

145

着师父过去，没想到是根独木桥，桥边的匾上写着"凌云渡"三个字。

这时，忽然看见一个人撑了条船过来了，船到岸边，唐僧师徒发现是只无底船。悟空火眼金睛，认出撑船的是接引佛，但没有说出来。唐僧害怕，不敢上船，接引佛说："船虽然没有底，古往今来都能普渡众生。"

唐僧还在怀疑，悟空趁他不注意，把他往船上一推。接引佛轻轻一撑，船飞快地驶向对岸。

船到江心，上游忽然漂下一具死尸。唐僧见了大吃一惊，悟空、八戒和沙僧指着尸体一齐说："师父别怕，那是你！"不一会儿，船过了凌云渡，师徒上岸后，悟空才告诉唐僧刚才那人是接引佛，唐僧已经脱了凡胎。

师徒四人继续向前，不久就登上了通向灵

山的石路，来到雷音寺山门外。四大金刚见了唐僧忙行礼，并通报了如来佛祖。

如来佛祖十分高兴，叫八大菩萨、四大金刚、五百罗汉、三千揭谛、十一大曜、十八伽蓝排成两行，然后传出金旨，召唐僧师徒进殿。

唐僧师徒来到大雄宝殿，见了如来倒身就拜，奉上通关文牒说："奉大唐皇帝旨意，来拜求真经，以济众生，望我佛慈悲，早赐真经，也好回国。"

如来叫阿傩、伽叶两位尊者带唐僧师徒去用斋，用斋后到珍楼宝阁领取经典。阿傩、伽叶领唐僧看完经名后，问唐僧有没有东西送给他们，唐僧说因路途遥远，没带东西。

阿傩、伽叶说："到这边来拿经吧。"唐僧师徒接过经书，一卷一卷放在包里，驮到马上，其余的包成包袱，由八戒和沙僧挑着。

唐僧师徒叩谢了如来，又拜辞了众神仙，下山赶路了。正走着，忽然闻见阵阵香气，只听见一声巨响，半空中伸出一只大手，把经书全都提走了。吓得唐僧连连叫苦，悟空拿出金箍棒，跳上云追过去。

原来是白雄尊者故意抢经，见悟空追过来，忙将经包撕碎，抛了下来。

唐僧师徒见所谓的真经卷卷都是白纸，很气恼，师徒四人又回到雷音寺。

如来佛听悟空讲完后笑着说："这事我早就知道，因为经不能随便传，也不能随便取。

148

原来比丘给人家讲经，要三斗三升黄金，我还嫌他要的太少了。"

阿傩、伽叶奉如来的金旨传给有字真经，他们来到传经宝阁，阿傩、伽叶仍旧向唐僧要东西。唐僧只好拿出唐太宗赐的紫金钵盂给他们……

唐僧师徒再次上路。

观音菩萨跟如来说："取经成功，要经过十四年，共五千零四十天，现在还有八天。"如来忙令四大金刚驾云送圣僧回国，八天内再把圣经送回来。

四大金刚赶上唐僧，叫道："取经的，跟我来！"唐僧等人连同白马立即飘飘荡荡，驾在云上。一天一夜后，揭谛赶上来，凑在金刚耳边说了一些什么话。金刚听后，把风按住，唐僧四人连马一块摔在地上。

原来，观音菩萨在查看唐僧取经路上的历难簿时，发现佛门九九归真，唐僧只受了八十难，还少一难，所以命揭谛去赶金刚，让唐僧再遇一难。唐僧等人落地后，发现已经来到通天河西岸，找不到船和桥，没有办法过河。

忽然听见有人叫喊："唐圣僧，来这里！"

师徒们抬头张望，见一个大白赖头龟在岸边探着头叫："我等你好几年了。"唐僧等人又像当年一样，一齐上了龟背，直向东岸驶去。

快到东岸时，天有点黑了，老龟问唐僧：

"那年托你向如来佛祖问我几时能修成人身，你问了没有？"唐僧专心取经忘了问，所以低着头不敢回答。老龟生气了，把身子一晃，沉下水去。唐僧师徒全都掉进了水中。

幸亏离岸不远，唐僧已经脱了凡胎，没有沉下去。他们刚帮师父登上东岸，忽然又刮起一阵狂风，电闪雷鸣，砂石乱飞，唐僧师徒忙按住经包，悟空拿着棒在一边守护着。

天亮时才风停雷止。太阳出来后，他们忙打开经包晾晒经卷。

陈家庄的人们得知后，男女老幼都到村口迎接，唐僧师徒受到陈澄等人的盛情款待。

八十一难满了，唐僧师徒连马带经升到空中。

四大金刚不到一天就把他师徒送到了东土大唐的京城长安。

唐僧见了太宗连忙下拜，太宗搀起唐僧问："那三位是什么人？"唐僧说是途中收的徒弟，太宗十分高兴，忙叫他们一块回宫。满城的人都知道取经的人回来了，纷纷出来迎接。唐僧原来住的洪福寺里的大小僧人更是特别高兴。

唐僧进朝后，叫悟空、八戒、沙僧抬来包袱，把经卷取出来，由官员传递给太宗。太宗问起取经的经过，唐僧一一奏明：走了十万八千里的路，历经十四个寒暑，经过了许多王国。接着又叫悟空把通关文牒取出来呈给太宗。

第二天早朝，唐太宗对群臣说，唐僧的功德极大，他一夜没睡，写了一篇序文赠给他。

太宗又叫唐僧讲诵真经，唐僧说必须找佛地。

太宗忙命官员把经书各捧几卷，送到圣洁的雁塔寺。唐僧登上高台，刚要诵读，四大金刚现身空中……

唐僧师徒连同白马一起被香风卷到空中，太宗和文武百官连忙跪下，朝空中礼拜。

四大金刚驾着香风，带着唐僧师徒和白马返回灵山，连去带来，刚好八天。

如来把唐僧师徒叫到座前封职。唐僧封为旃檀功德佛，孙悟空封为斗战胜佛，猪八戒封为净坛使者，沙和尚封为金身罗汉，白马封为八部天龙，各归佛位，超脱凡尘。

这时，悟空请求师父取下头上的金箍儿，唐僧说："你已成佛，自然就去了。"悟空抬手摸头，果然没有了。

从此以后，旃檀佛、斗战胜佛、净坛使者、金身罗汉、天龙马与诸众神佛各归其位。